CU00945390

UNIVERSALE
ECONOMICA
FELTRINELLI

STEFANO BENNI
Achille piè veloce

© Giangiacomo Feltrinelli Editore Milano
Prima edizione ne "I Narratori" settembre 2003
Prima edizione nell'"Universale Economica" febbraio 2005
Undicesima edizione luglio 2015

Stampa Nuovo Istituto Italiano d'Arti Grafiche - BG

ISBN 978-88-07-88318-7

www.feltrinellieditore.it
Libri in uscita, interviste, reading,
commenti e percorsi di lettura.
Aggiornamenti quotidiani

razzismobruttastoria.net

in memoria di Aki
e Luigi Pintor

Qual è il tuo nome nel buio?

(Liber Sybillae)

CAPITOLO UNO

Cosa succede alle persone cosidette normali quando incontrano di colpo un matto che urla o le investe di un delirio incomprensibile? Quando vedono qualcuno crollato a terra, o inchiodato da uno spasmo sui gradini di una chiesa? Dopo l'incontro restano immobili, con un'espressione di disagio, di paura o di stordimento. Ma il loro volto è cambiato, è come se fossero state fotografate da una luce accecante, scuotono la testa, parlano da sole, per un attimo anche la loro normalità sembra incrinata. Cos'hanno visto nel lampo di quella luce, quale paesaggio, quale specchio, quale verità insostenibile che dimenticheranno subito dopo, ma la cui immagine resterà per sempre, in qualche recesso buio del loro cuore, nella biblioteca in fiamme della loro vita? (Medèn)

L'uomo con i libri sottobraccio uscì di casa e il mondo non c'era.

Guardò meglio e vide che c'era ancora, ma una fitta nebbia lo nascondeva, forse per salvarlo da qualche pericolo. Era il solito mondo e l'uomo ne vide alcuni dettagli ai suoi piedi: una crepa sul marciapiede, un brandello di aiuola, una foglia morta per i poeti, palminervia per i botanici, caduta per gli spazzini. Poi gli apparvero il tronco di un albero, lo scheletro di una bicicletta senza ruote e una luce gialla al di là della strada.

Lì si diresse.

Aspirò una boccata di umida brezza del mattino e fece entrare azoto, ossigeno, argon, xenon & radon, vapore acqueo, monossido di carbonio, biossido di azoto, piombo tetraetile, benzene, particolato di carbonati e silicati, alcune spore fungine, un'aeroflotta di batteri, un pelo anonimo, un ectoparassita di piccione, pollini anemofili, una stilla di anidride solforosa convolata da una remota fabbrica, e un granello di sabbia proveniente da Tevtikiye, Turchia nordoccidentale, trasportato dallo scirocco della notte.

Insomma, respirò l'aria della città.

Pochi i rumori a quell'ora. Un uccello arrochito, una voce televisiva che simulava allegria, lontani sospiri di ammotorati.

L'uomo attraversò la strada con prudenza, sentì sulla testa il prurito di una pioggerella e raggiunse la luce gialla che faceva da cometa a una pensilina. Qui l'uomo coi libri sottobraccio trovò riparo insieme ad alcuni suoi simili.

Un vecchio con un borsello e un miniombrello che non si apriva più da un mese, ma a cui si era affezionato. Una donna con un collo di volpe e un gatto in gabbietta. Un signore distinto con una valigia rigida che non chiudeva bene. Un filippino che invece era un tailandese. E infine una coppia di ragazzi con capelli puffo lui papavero lei recanti sulle spalle due zainetti scolastici gonfi come lo stomaco di un pitone sazio.

Sembrava tutto tranquillo, e l'uomo coi libri sottobraccio, di nome Ulisse, sistemò i libri in una busta di plastica per non bagnarli e si sedette. Ma i demoni dell'autunno annunciarono un imminente rivolgimento. Prima fu un botto di tuono, poi un lampo che fotografò un cielo da apocalisse, e uno scroscio oceanico di pioggia che convinse tutti a stringersi sotto la pensilina. In fondo alla strada si avvertì un grido rauco, e uscendo da una curva in leggera discesa apparve il dragobruco. Forando con gli occhi gialli la parete di nebbia, si avvicinò dondolando la testa mostruosa in direzione delle prede. Era lungo più di dieci metri, color rosso sangue, con sei zampe rugose su cui galoppava veloce tra le file di auto parcheggiate. Quando fu vicino alla pensilina, fece brillare a intermittenza un occhietto giallognolo sulla parte destra del muso, un osceno ammiccamento bramoso. Poi si fermò con stridere di zanne davanti agli umani incapaci di fuggire, paralizzati dal terrore.

Spalancò lentamente non una, ma tre bocche. Con due di esse ingoiò le vittime, dalla terza ne sputò fuori una evidentemente masticata e digerita. Chiuse di colpo le fauci e ripartì con un soffio satollo.

Dietro a lui si mise a correre una ragazzina bionda con le trecce al vento e lo zainetto sulle spalle. Lo inseguiva urlando, con coraggio incredibile per la sua giovane età. Certamente aveva visto scomparire nella bocca del mostro un genitore o forse un compagno di scuola, e senza paura alcuna si avventò contro il fianco del dragone e lo colpì più volte col pugno.

Il mostro si arrestò, spalancò la bocca posteriore e ingoiò la temeraria.

– Grazie – disse la ragazzina con le trecce.

– Di niente – disse il conducente dell'autobus.

Dentro al dragobruco, l'uomo coi libri sottobraccio stava in piedi vicino al finestrino. Era questa la sua posizione preferita. Non osava guardare gli altri passeggeri seduti perché aveva il terrore che qualche giovane gli cedesse il posto, ritenendolo sufficientemente anziano. L'uomo non era anziano, ma aveva i capelli già un po' grigi e diradati e prima o poi, lo sapeva, gli sarebbe toccato di subire l'onta cortese di un "si sieda, prego", magari da parte della signora col gatto ingabbiato, senza probabilmente aver il coraggio di replicare "scusi, ma cosa le fa pensare che io abbia più anni di lei?".

Per la precisione:

l'uomo non così anziano era a metà tra i trenta e i quaranta, sottobraccio non portava libri ma dattiloscritti, anzi scrittodattili, come lui li definiva, dato che scrivere è ormai operazione da dinosauri, e prendeva quell'autobus quasi tutte le mattine. L'uomo si chiamava Ulisse, Lello per gli amici,

l'autobus si chiamava Tredici e non risulta avesse amici, tutt'al
più utenti abituali. Per ancora maggior precisione: la signora
col gatto aveva effettivamente due anni più di Ulisse, gli scrittodattili erano di aspiranti scrittori in quanto Ulisse faceva il
lettore per una casa editrice di nome Forge, il gatto si chiamava Paradis ed era un tigrato rosso intero.

– E chi se ne frega? – disse la ragazzina con le trecce.

Non riferendosi con ciò alle sopradette precisazioni, ma
probabilmente a una notizia o avvertimento o rimbrotto appena ricevuto via cellulare da genitore comunicante.

– I giovani i giovani – disse l'uomo col miniombrello che
non si apriva, cercando con lo sguardo l'approvazione di Ulisse. Ma nulla ottenne.

– Tutti parlano dei giovani, ma cazzo, a noi chi ci fa parlare? – strepitò una vocetta in qualche angolo del bus.

– Parlate anche troppo – rispose un'altra vocetta.

Ulisse pensò che era pericoloso voltarsi per assistere a quel
litigio semovente, ma qualcuno gli toccò fastidiosamente il
collo, e fu costretto a farlo. Notò con stupore che dietro a lui,
o almeno nel metro di bus limitrofo, non c'era nessuno. Però
qualcosa dondolava proprio davanti al suo naso, sfiorando-
gli una tempia. Fece un gesto per scacciare l'insetto, o la piu-
ma, o il quel che fosse. E si accorse con meraviglia che vicino al suo occhio destro oscillava una microscopica scarpa da
ginnastica, appartenente alla gambetta miniaturizzata di un
minuscolo giovanotto appollaiato sulla sua spalla. Mentre dalla sua tasca sporgeva la testolina di un anziano signore oc-
chialuto, che puntando verso l'alto un ombrello non più grande di uno stuzzicadenti, protestava:

– Voi giovani parlate anche troppo, e non sapete neanche
di cosa!

Il microgiovanotto scrollò le spalle sulla spalla di Ulisse e
ruttò con vigore di criceto. Quindi si sporse dalla clavicola, mostrando una capocchia infradiciata di gel, ed esibì un gestaccio
all'indirizzo del microsignore nella tasca. Così Ulisse si rese conto che le voci litigiose erano di due creature diciamo così suoi
condomini, o parassiti, o simbionti. Si volse intorno per vede-

re se qualcuno sull'autobus si era accorto di niente. Poi afferrò il minigiovanotto e cercò di nasconderlo in tasca.

– Piano, cazzo – protestò quello.

– Lo tenga lontano e non me lo avvicini – disse il vecchiolino, circa ottant'anni e otto centimetri. – Già è insultante che le nostre opere siano a contatto nella sua borsa.

– Opere? – disse a voce alta Ulisse, quasi senza accorgersene.

– Non faccia il finto tonto – disse il vecchio, aggrappandosi a un bottone – io sono il professor Virgilio Colantuono, quello dello scrittodattilo più grosso, dentro l'elegante carpetta azzurra.

– Sì, cinquecentoquaranta pagine, mi pesa addosso da stamattina – disse il minigiovanotto. – Io invece sono quello dello scrittodattilo con la copertina fatta al computer, Paolo Petrotto, autore di *Perial Killer*, il giallo tripla x che non vi farà dormire.

Ulisse si mise a sedere, contro ogni sua abitudine, e controllò il pacco degli scrittodattili. In effetti il primo era un ponderoso raccoglitore azzurro, recante il titolo *Memorie dalla cattedra*, di Virgilio Colantuono, sottotitolo, *Diario di un'integrità*. E sotto, illustrato da un disegno sanguinolento che poteva essere un teschio scarnificato o un cotechino infelice, c'era lo scartafaccio di *Perial Killer* xxx.

– Allora voi siete... – balbettò Ulisse.

– Non faccia finta di non conoscerci, la vostra casa editrice sbandiera e spergiura: "vi leggeremo tutti e a tutti risponderemo" – protestò il Petrotto – e allora mi ha letto o no?

– No, prima deve leggere me – disse il professore, agitando il parapioggia, o altresì paragoccia.

Ulisse barcollò per una frenata e per la confusione mentale.

– Sì, vi ho letto stanotte – balbettò – o almeno ho iniziato a leggervi, ma non capisco...

– Non capisce? – stridette il giovane giallista, scendendo giù per la manica. – Ma cosa c'è da capire? La mia è una storia di tutti i giorni. Un serial killer uccide dodici persone drogandole con pere di eroina e poi sezionandole lentamente con un seghetto da traforo, poi le stupra, le dipinge di bianco e nero e lascia vicino al cadavere una traccia, una frase criptica. L'investigatore Eastman scopre che sono frasi legate ai risultati del campionato di calcio della settimana e...

– Storia grandguignolesca e trita – disse il professor Virgilio – la mia invece è una densa ma scorrevole autobiografia che illustra cinquant'anni di insegnamento in un paese del Sud dimenticato da tutti, anche dalla mafia. Ogni giorno con minuzia io riporto gli eventi, gli aneddoti, i voti, le notazioni...

Non finì la frase. Da uno scrittodattilo dentro una busta imbottita uscì una signora alta otto centimetri e mezzo, e tappò la bocca del professore con un francobollo.

– Una casa editrice come la sua dovrebbe curare la qualità – disse ammonendo Ulisse col ditino – non affidarsi a giallacci di moda o a diari senescenti. Io ho scritto un libro che fa riferimento alle voci più alte della letteratura, le basti guardare le citazioni iniziali, ben dodici... ha letto *Senza cipria*?

– Leggerò tutto – dissulisse con un filo di voce – risponderò a tutti.

– Sarà meglio – disse un mini Tarzan più largo che lungo, audacemente seduto sulla gabbietta del gatto – io sono quello di *Rambaud*, poema cultural-culturista. Basta coi poeti emaciati! Mi sono allenato anni e anni in palestra per scrivere questo libro...

– Io le ho mandato le poesie *Ubriache Moire* – disse qualcuno, arrampicandosi sulla schiena di Ulisse – hanno già vinto una decina di premi e sono piaciute a...

– Uno alla volta – disse Ulisse e si portò le mani ai pantaloni che qualcuno gli stava sbottonando.

– Non so quanti anni lei abbia, e quale esperienza del mondo – sussurrò una fatina rotondetta, dalla chioma biondo Barbie, appesa a un punto delicatissimo dell'anatomia di Ulisse – ma le assicuro che *Diario orale* è tutto vero. Più di trecento pompini a uomini diversi, tra cui numerosi vip, e per ognuno una fulminante paginetta che illustra tecniche, reazioni, imprevisti e aneddoti. E i disegni li ha guardati? Li ha fatti mia figlia.

– Credevo fosse una casa editrice seria – esclamò un decimetro di colonnello – e io che vi ho mandato *Non c'è posto*, il libro che spiega perché l'Occidente deve distruggere i cinesi entro il 2010.

– Le interessa la storia di un uomo che una mattina si sveglia trasformato in uno scarafaggio? – disse una vocina dal fondo della busta.

– Signor Kafka, almeno lei non scherzi – sospirò Ulisse.

– E lei non metta il mio libro in mezzo a quegli scrittodattili.

– Quando un allenatore rinuncia all'attacco, rinuncia all'essenza stessa del calcio – sentenziò una voce rauca proveniente dal giornale sportivo.

– Fuori i soldi bello, centoventi euro – disse la bolletta del gas.

– Ancora una corsa e poi mi butterai via, vero, bastardo? Siete tutti uguali, voi utenti. – Era il tesserino dell'autobus, che parlava con la voce della Garbo.

Ulisse si alzò, la testa gli girava, le voci lo bombardavano da ogni parte, si tappò le orecchie, barcollò.

– Si vuole sedere, signore? – disse la ragazzina grandezza naturale con le trecce.

– Le sembro anziano?

– Accidenti – disse lei esplodendo una bolla di cingomma – se non è anziano lei...

– Nooooooo – gridò Ulisse e corse verso la porta di uscita travolgendo il vecchio col miniombrello che per lo choc sbocciò, ribaltando la gabbietta del gatto che per lo choc pisciò, facendo imprecare il tailandese in filippino e causando l'apertura della valigia rigida con eruzione di calzini nonché di un inatteso stock di cazzi di gomma. Tutto questo mentre il povero lettore editoriale si scrollava per liberarsi dai suoi piccoli persecutori, due dei quali si erano aggrappati ai capelli, mentre il professore stava rintanato nella tasca, e la pompinologa proseguiva la sua esplorazione. Finché Ulisse vide finalmente spalancarsi la porta dell'autobus, si tuffò fuori e...

Si svegliò.

CAPITOLO DUE

Ulisse si ritrovò al capolinea del Tredici, dieci fermate dopo la sua, con gli scrittodattili sulle ginocchia. Non ricordava né quando si era seduto né quando si era addormentato. Soffriva del morbo del fornaio, o insonnia pistoria, che colpisce i figli dei panettieri. Gli attacchi di questa malattia rendono desti e lavorativi durante la notte, e fanno addormentare di colpo durante le ore diurne. Anche se Ulisse, grazie a studi umanistici, si era emancipato dalle sue origini cerealicole, ogni tanto il cromosoma ereditario riappariva.

Si guardò intorno e vide che l'autobus era vuoto, senza nemmeno il conducente. Scese e cercò di orizzontarsi. Si trovava nella periferia o banlieue o hinterland, nella zona dei grandi magazzini o galeries o shopping center, i quali, lesquels, which, si intravedevano lontano nella nebbia, brouillard, fog, illuminati come transatlantici. La fermata del bus era accerchiata da una muraglia di palazzi, disposti a ferro di cavallo, tutti uguali, giallastri e impestati da una fungaia di antenne televisive. Sotto ai palazzi c'era un parcheggio e in mezzo un giardinetto disperato, con pioppi trapiantati e altalene tristi come patiboli. Da un gigantesco manifesto una strafiga inguepierata contemplava il tutto. Ulisse schivò alcune pozzanghere, un campionario di merde di cane recenti e assire, e varie siringhe usate. Cercò rifugio nell'unica panchina al coperto, sotto una tettoia di legno con graffiti rockokò. Quivi ristette.

– Che sogni terribili – pensò – non passerò mai più una notte insonne a leggere scrittodattili. Io ripeto sempre che scrivere è atto nobile nel migliore dei casi, ingenuo nel peggiore. Tranne poche eccezioni di grafomani arroganti inediti che imitano grafomani arroganti già editi, scrivere non peggiora il mondo. I libri sono firmati parola per parola. I loro pregi e tradimenti sono visibili, la loro libertà o corruzione e inutilità apparirà chiaramente, sulla pagina sterminata dei secoli. Alcuni dureranno, altri scompariranno. Ogni segno su di loro è nobile ruga di tormentata e ripetuta lettura, logorio del breve vento da una pagina all'altra, sbiadire di copertine tra amori e rifiuti, sottolineature, polvere di abbandono. Mentre inalterabili, mai scelti né respinti, mai veramente nostri, i dominanti schermi ci circondano di felicità non abitata, colpiscono ipocritamente, con falsa neutralità e velenosa indifferenza, creano parodie di sentimenti che evaporano nello spazio di una sigla. Hanno soldi, potenza, ma meno idee di una singola pagina. Scrivere nasce dal leggere e al leggere è grato. Scrivere è una delle poche cose rimaste uniche e nostre, dalla firma al romanzo, dal primo tema al testamento.

– Giusto – disse dal taschino il professor Virgilio Colantuono, promosso da visione onirica a eco della coscienza – anche se l'esposizione è talora enfatica. Se lei fosse mio allievo le darei un sette meno.

– Zitto. Detesto gli scrittori e gli editori che si lamentano perché il mondo è pieno di gente con un libro nel cassetto, e quando arriva uno scrittodattilo è come se gli recapitassero una bomba. Sarebbe come se un salumiere si lamentasse di essere invaso dai prosciutti. E badi bene, non sposo la cinica tesi che i libri sono come i prosciutti. Con tutto il rispetto per il sacrificio dei suini e per l'ars stagionatoria. Tutt'al più possiamo paragonare i libri a pagnotte, manufatti umili e necessari, senza i quali tutto il resto del sapere è contorno o farcitura. I libri si leggono e si rileggono, e ogni volta il sapore è diverso. Se decidi di stare dalla parte della scrittura, e della sua responsabile passione, quello che ti guiderà è più misterioso di ciò che ispira altri atti e desideri della tua giornata.

– Anche se possiamo, ad esempio, leggere a tavola, o scrivere mangiando un panino – disse il professor Colantuono – mi sono spiegato?

– Per niente, stia zitto. Non ci accorgiamo subito, ma solo dopo, di quanto è importante la scelta né distratta, né casuale, di scrivere, di far durare le nostre visioni prima per noi, poi per qualcuno vicino e infine per tanti lontani e invisibili. Ma non è così semplice. A volte tutto questo diventa privilegio, abitudine, sopravvivenza. Scrivere non è necessariamente pubblicare, ripeto sempre. Ma ho scritto un solo libro e già soffro perché non riesco a pubblicarne un altro. E spesso mi irrito con quelli che vogliono entrare nel mio mondo, schernisco i miei compagni di desiderio, sono impaurito da questa orda di carta, da questa immigrazione di extracomunicanti. Perché volete entrare in questo mondo di premi farseschi, di parassiti accademici, di cretini televisivi elevati a saggisti e di saggisti che aspirano a diventare cretini televisivi? Perché, se ogni scrittore ben sa che un giorno, o tutta la vita, si sentirà sottovalutato e incompreso? Se un giorno deciderà di bruciare i suoi libri, e il giorno dopo vorrà segnare con una croce di sangue ogni volume non suo, acciocché l'Angelo Maceratore scenda e cancelli i suoi rivali dalla storia e dalle classifiche?

– E lei perché vuol vivere in questo difficile mondo? – disse il professor Virgilio.

– Giusto. Non perché non so fare altro. Ma perché non conosco niente di così confuso, inestricabile, e tuttavia sempre avventuroso. Il sogno di scrivere per me è rimasto sconfinato e uguale, da quando ero bambino a ora. La musica è la stessa, sia che suoni un'armonica o un'orchestra. Perciò continuerò a scrivere e leggere capolavori e ciarpame, e scrittodattili per guadagnarmi il pane. A volte comprensivo e appassionato, altre volte sprezzante e sadico. Molte notti mi troveranno chino su una pagina.

– E ci leggerà tutti?

– Quelli che potrò.

– Anche me?

– Forse.

Così Odisseo pensava, pensieri ritmati dal rumore della pioggia sulla tettoia. E quando quella solitudine cominciava a intristirlo, improvvisamente vide scodinzolare davanti a sé un cagnolino. Apparteneva alla diffusa razza Foxfirst: mamma volpina e babbo il primo che se la tromba. Era bianco con mascherina nera, e sulla medaglietta c'era scritto Fantomas. Socchiuse gli occhi e si mise a defecare davanti a Ulisse. Ma non ci riusciva. Non trovava l'ispirazione. Restava lì a zampe divaricate, con un'aria tra sofferente e attonita. Poi invocò la musa Scatonia e riuscì a depositare al suolo una lenticchietta, un mezzo endecasillabo di merda. Quindi si mise a raspare come se dovesse sotterrare un osso di brontosauro, o nascondere le sue tracce a un'orda di licaoni.

– Così a volte è la creazione artistica – sospirò Fantomas – tanta fatica per nulla...

Ulisse scosse la testa e si risvegliò. Si era addormentato di nuovo, tutto storto sulla panchina.

– Non leggerai mai più tutta la notte – ripeté, come un comandamento.

Il cane mascherato gli annusò i piedi e Ulisse lo grattò sul coppino, disturbando le pulci colà condominiate. Sopraggiunse la proprietaria del cane, una vecchia dai capelli argentei e dai neri occhiali, mimetica al cane. Forse sofferente di stipsi anche lei.

– Fantomas riconosce le brave persone – disse – mica si fa carezzare da tutti.

– Bravo Fantomas – dissulisse.

– Sa qual è il bello dei cani? – disse la dolce signora, sedendosi anche lei sulla panchina. – È che sono disinteressati. Non stanno con te perché vogliono qualcosa, ma perché ti vogliono bene.

– Giusto – dissulisse.

– Fantomas è un cane speciale. Gli manca la parola.

E anche una purga, pensò Ulisse, vedendo il tapino in preda a un nuovo blocco creativo.

– Pensi – disse la vecchietta – che in casa lui non mangia

niente se non ha il permesso. Può esserci qualsiasi manicaretto in cucina o in sala da pranzo, ma lo abbiamo educato a non toccarlo. Mio marito Aldo lo faceva salire su una sedia e stare a tavola con lui, poi gli metteva davanti un piatto con la bistecca e gli ordinava: fermolì, guaiatè. E Fantomas sbavava, ma restava immobile, finché mio marito non si mangiava tutta la carne. Beh, pensi che un giorno io avevo preparato una cotoletta e dico a mio marito: Aldo, vieni a mangiare che è pronto, ma lui restava di là davanti alla televisione e non arrivava. Aldo vieni a mangiare che si fredda, ripeto, e mentre dico così vedo Fantomas che prende in bocca la cotoletta e se la mangia. Brutta bestia, dico! E invece sa cos'era successo? Vado di là e mio marito è con la bocca storta davanti alla televisione, morto secco sternito, un ictus. Capito l'intelligenza di Fantomas? Aveva capito che mio marito la cotoletta non la mangiava più.

– Geniale – disse Ulisse.

– E poi avrei tante altre storielle sul mio piccolo – aggiunse la vecchia, frugando in una sporta tra cardi e grissini – anzi gliele sottopongo: le ho raccolte in un manoscritto, io non so scrivere a macchina, è un testo breve, saran trecento paginette, si chiama *La mia vita con Fantomas*.

– Guardi che io non sono del settore – mentì Ulisse – è che mi sono addormentato in autobus e...

La vecchia estrasse dalla borsetta un ferro da calza e glielo puntò alla gola.

– Guarda che non mi inganni bello, lo so che fai il lettore editoriale, scrivi su una rivista e hai anche pubblicato un libro del cazzo.

– Aspetta un momento – disse Fantomas – non dar retta alla vecchia stronza, ho qua io il best seller di Natale, si chiama *Io non posso entrare*, sottotitolo, *I tormenti di un giovane Foxfirst*, dieci racconti dal punto di vista quadrupedante. Devi leggerlo, c'è anche spiegata la differenza tra amore e calore.

Fantomas scodinzolava e teneva in bocca un floppy disc.

Allora Ulisse capì che aveva sognato di essersi svegliato,

cercò di risvegliarsi dal falso risveglio e ci riuscì proprio mentre Fantomas azzannava la vecchia alla gola.

Quando aprì gli occhi, ai suoi piedi c'era un volpino bianco con una mascherina nera e a breve distanza una vecchietta canuta con occhiali tondi. A differenza del volpino onirico, questo aveva cagato come tre muratori, e annusava soddisfatto la sua creazione. Ma stavolta Ulisse era sveglio, ne era sicuro. Allungò la mano verso il cagnolino.

Il botolo arretrò e ringhiò.

– Lei ha paura dei cani? – disse la vecchietta. – Strano, Mascherina non ringhia mai. È una cagnina mite. Lei è extracomunitario?

– No, perché?

– Chiedevo, così. Stia fermo e vedrà che non le succede niente.

Mascherina ringhiava e digrignava, era piccola, ma aveva dei denti da squalo. Ulisse si stava un po' innervosendo quando arrivò la salvezza sotto forma di vigilante velocipedato con benda sull'occhio.

– Signora, il cane va tenuto al guinzaglio.

– Ma è piccolo... – protestò la vecchia.

– Grande o piccolo la legge vale anche per lui – disse l'agente, equanime.

– Vaffanculo – rispose la vecchia, prese Mascherina in braccio e sparì nella nebbia.

– Che roba – disse il vigilante, scendendo dalla bicicletta e sistemandosi lo scroto scompaginato dalla pedalata – fai il tuo dovere e ti trattano così.

– Nessuno è mai contento – dissulisse.

– E sa quante me ne succedono? Passi coi neri e i marocchini, da quelli sai che non ti devi aspettare niente di buono, quella è feccia, mano alla pistola. Ma ci son dei signori distinti, e delle signore anziane che proprio non te lo aspetti.

– Capisco – dissulisse. – E il suo occhio?

– Sono stato ferito in servizio. Un moscone, o insetto volante del cazzo, mentre andavo di ronda in moto. Permette? Agente Fermo Poli, detto Polifemo.

– Piacere, Ulisse. Lello per gli amici.

– È una guerra creda a me, signor Lello, una vera guerra. Il mese scorso, ad esempio, fermo un negro su uno scooter bianco e gli dico, ohè, carboncino, e il casco? E lui carboncino a me non lo dici. Allora io lo prendo per il bavero e... ma cos'è quella roba che ha sulle ginocchia?

– Scrittodattili – dissulisse.

– E lei li legge?

– È il mio lavoro.

– Ma è fantastico – disse il vigilante, saltellando di entusiasmo – lei è proprio la persona che cercavo. Deve sapere che queste storie capitate in servizio le ho raccolte in un libro che si chiama *L'orgoglio della legge*. Tutti episodi di vita vissuta, di lotta alla microcriminalità, al degrado, ai teppisti, e anche momenti poetici come quando ho tirato giù un gatto da un tetto. Mia moglie lo ha letto, va beh, lei non è obiettiva ed è pure meridionale, ma mi ha detto: Fermo, non ho letto niente di simile in vita mia. Lei deve darmi un parere. Quanto resta seduto qui?

– Vado via subito – disse Lello. Vide delinearsi negli occhi del vigilante un probabile arresto, o fermo in questura con affidamento coatto del manoscritto – ma domani probabilmente a quest'ora torno, vengo sempre a leggere qui.

– Glielo posso portare alla casa editrice – disse il ciclope scrittodattilo – come si chiama?

– Ehm... Nemo. Casa editrice Nemo. Può trovare il numero sull'elenco.

– Domani a quest'ora passo e le porto il libro. Oppure glielo porto alla Nemo.

– D'accordo – disse Lello mentre quello se ne andava salutando militarmente. E di nuovo si sentì in colpa. Era giusto aver usato quel cinico sotterfugio? Doveva seguire la sua generosa vocazione di sostenitore di ogni diario sfogo sonetto strambotto, e quindi incoraggiare ogni nobile quanto scadente guerriero della scrittura, o prender l'armi contro una legione di inchiostratori e ascoltare la sua parte critica e censoria, quella che lo portava a pronunciare ogni tanto la frase: non voglio leggere più nulla che non sia un giornale sportivo. E se quel vigilante fosse stato il nuovo Joyce? Le premesse non c'erano, ma se lo fosse stato?

– Il nuovo Joyce sono io – disse il professor Virgilio Colantuono, agitando le braccia.

La nebbia si era diradata e un raggio di sole centrava un lato della panchina. Ulisse si trasferì lì. Il raggio illuminava gli scrittodattili quasi a dire: ma su, un po' di calore per questa gente, per loro è importante. Ricordi quando hai cominciato? Non eri forse impaziente, insistente, incazzato come loro? Cosa avresti dato per un parere, per una parola di incoraggiamento, per un po' di interesse! E quanta gratitudine serbi ancora per chi ti ha aiutato!

– Giusto – disse Virgilio – mi legga.

– Decido io quando – disse Ulisse. Prese dalla borsa il giallo *Perial Killer XXX* e iniziò a leggere.

Sangue, sangue dappertutto. E sperma sul corpo della ragazza, o almeno sul pezzo del corpo che il killer aveva segato e poi stuprato. Un cane decapitato e sventrato stava appeso all'attaccapanni dell'ingresso. Un gatto era stato infilato con la testa dentro al tostapane. Un bulbo oculare della ragazza galleggiava dentro la vasca dei pesci, che se lo disputavano. Qualcosa di sanguinolento putrido e viscido colava dal soffitto come una pioggia viscida e putrida sulla testa di Eastman, che sputò per terra e disse:

– *Chi cazzo può aver fatto tutto questo?*

– *Ehi capo – disse il sergente Grimwell. – Guarda questa scritta sul muro. Sembra scritta col sangue anzi quasi sicuramente lo è sembra sangue fresco e questa zeta sembra fatta con uno schizzo di cervello e guarda l'ampiezza della lettera bi che indica una personalità disturbata cazzo ne ho viste di scritte ma questa è la più strana di tutte sul muro sembra una frase o qualcosa come delle parole o forse un messaggio secondo me anzi potrebbe essere un insieme delle tre cose ho visto un caso simile a Seattle nel novantasei solo che allora era scritto con la merda una frase tutta da decifrare ucciderò ancora il difensore cosa ne pensi?*

– Penso – dissulisse – che senza punteggiatura non è facile venirne fuori: la frase "ucciderò ancora" è quella scritta a Seattle o quella scritta adesso, e il "difensore" è la firma o la prossima vittima, e dov'è la zeta scritta con "un schizzo di cervello"?

– *Cazzo, Eastman, quanto sei pignolo – disse Grimwell.*

Mi sono addormentato di nuovo, pensò Ulisse. Adesso basta leggere. Rimise gli scrittodattili nella busta di plastica, ma quella cedette e tutte le opere caddero a terra. Le raccolse a una a una, imprecando. E vide che in mezzo c'era una lettera, indirizzata a suo nome alla casa editrice. Si ricordò che non l'aveva ancora aperta. Cosa che fece, mentre attraversava il giardino verso il dragobruco che lo avrebbe riportato a terre più conosciute.

La lettera era scritta al computer in uno strano carattere gotico antico, e diceva:

Egregio signor Ulisse.
Le scrivo per tre motivi.
Il primo è che lei ha un nome omerico come me.
Il secondo è che ho letto il suo libro. Lei non è Beckett, ma mi ha fatto ridere, cosa che non mi succede spesso.
Il terzo è che ho un'idea da sottoporle.
Immagino che nessuno di questi motivi sia convincente, ed è una garanzia per lei che io me ne renda conto.
Perciò aggiungo altri tre motivi.
Se lei riuscisse a concepire nella sua testa una qualsiasi definizione di normalità in nessun modo io rientrerei nella sua definizione.
So che lei risponde a tutti quelli che le inviano uno scritto. Non è un atto di eroismo, ma è comunque una cosa rara.
Io posso scrivere poco e con fatica, e tra breve tempo non potrò più scrivere e ne morirò...

Se mi vuole contattare telefoni a questo numero... giovedì, esattamente alle 19. Le risponderà una voce di donna. Mia madre. Lei parlerà per me. L'uomo è un creativo parassita del mondo, ma ciò che cambia la vita, ciò che la perde e la riconquista, è donna. Forse mia madre non ci permetterà di entrare in contatto. La prego, insista. Mi basterebbe poterle parlare anche una sola volta. Probabilmente non riuscirò a mandarle una seconda lettera.

Qualsiasi decisione prenda, la prego vivamente di non parlare a nessuno di questa mia iniziativa. Per il momento, le auguro ogni fortuna. Spero che legga queste righe mentre cammina sull'erba di un prato, o in riva a un fiume. Quando mi conoscerà, capirà perché. La prego, chiami all'ora precisa: solo così avrò forse la possibilità di ascoltare la telefonata. Sia puntuale. Io purtroppo lo sono.

La vita di un puntuale è un inferno di solitudini immeritate. Non crede?

Suo Achille

CAPITOLO TRE

Ulisse aveva dormito poco e male, in preda all'insonnia pistoria. Lo coglievano vampate di calore, come se stesse infornando pizze. Si era svegliato alle quattro, e aveva navigato nel pelago della Rete. Era partito dalle isole di *www.omnicultura.com* per poi deviare la rotta verso *www.tuttocalcio.org.* e trovarsi quasi senza accorgersene nella baia di *www.scopami.it.* Cercava un sito di cui gli avevano parlato, un fetish per scrittodattili, dove ci si faceva sculacciare con libri antiquari, e umanisti masochisti spiavano donne mascherate che pisciavano sui classici. Cliccando qua e là tra dildi e deretani, arrivò all'immagine di una Calipso bionda e provocante, con la scritta: se vuoi vedere quanto sono ninfomane, clicca qui. Incautamente cliccò e venne sommerso da cinquanta offerte a pagamento e svariate inserzioni, tra cui un marito che voleva scambiare la moglie con un'Apecar. Cercò di uscire dalla pornobufera, finché si beccò un virus lotofago che gli cancellò metà della posta.

– Ben mi sta – disse Ulisse, radendosi in fretta e scorticandosi. Ormai l'alba dalle dita rosate entrava dalla finestra e, sotto l'immancabile piovasco, prese il dragobruco per il lavoro. Dopo lungo e spintonato viaggio, entrò in un sarcofago metallico che lo fece ascendere al quarto piano, ove aveva sede la redazione della Forge. Intanto continuava a pensare a quella strana lettera. Quei caratteri gotici, scelti attraverso un moderno computer. Quel dolore così esibito e impudico.

E gli accenni all'anormalità, alla difficoltà di spedire una lettera, di telefonare. La frase sul potere della madre. Un esibizionista che vuole incuriosire, o un vero pazzo? In ogni caso, in queste situazioni bisogna essere prudenti. Possono diventare pericolose. Una volta qualcuno gli aveva spedito un romanzo, e lui aveva risposto con una lettera assai garbata di critiche. Il criticato deluso gli aveva mandato ogni giorno, per un anno, una busta con dentro un francobollo e un biglietto con la frase:

Mi riscriva che il libro è bellissimo o vengo a casa sua e la ammazzo.

Dopo un anno Ulisse gli aveva risposto, sommando un insieme di banalità elogiative che terminavano con la frase: il suo libro è probabilmente il capolavoro del Novecento. Non aveva più ricevuto lettere e aveva dovuto ricominciare a comprare i francobolli.

Il pazzo della lettera gotica, però, era sicuramente colto e intelligente. E quel riferimento al camminare, come se lo vedesse mentre leggeva? E quella bella frase finale sulla solitudine... Entrò nella redazione. Circe, segretaria tuttofare e all'occorrenza buttafuori di creditori, lo accolse con un sorriso part-time.

– Ho appuntamento alle undici con Valerio – disse Ulisse.

– Ha detto che ritarda mezz'ora.

La vita di un puntuale è un inferno di solitudini immeritate.

O malinconia degli uffici la mattina presto, quando la luce del giorno dona a documenti e carte una patina di sofferenza. Potranno mai essi spiegare l'eterno risveglio del mondo, ricominciare a parlare dopo che la notte ha reso lente le parole e fluttuanti le verità? O dolore dei cestini pieni di fogli violentati e strappati, di dépliant inutili, di malacopie straziate. E che dire della speranza della matita e dell'attesa della gomma, una necessitante la morte dell'altra? E la feroce vocazione unitaria della puntatrice, il fervore paraninfo delle graffette, l'inutile zelo degli spilli? E cos'è quella vibrazione che accompagna il freddo e preciso riavviarsi del computer, quell'ansito meccanico di pena, quel brivido che grida: tutta la mia cibernetica complessità non serve a rispondere a una sola vera domanda sul mondo?

Avvio Windows in corso
Applicazione impostazioni del computer in corso
Preparazione della barra Office
Ammissione di inutilità in corso
Per favore, Ulisse, uccidimi.

Un altro maledetto attacco di addormentamento pistorio! Ulisse si risvegliò, si scrollò e sedette alla scrivania del boss assente. Una giungla di biro morte, biglietti infilzati, macchie di caffè, bustine di zucchero e numeri di telefono segnati nei posti più impensabili.

La scrivania era l'anima dispiegata di Valerio, detto Vulcano per l'eruzione continua delle sue attività. Egli era l'elegantissimo, rotondo e spiantato titolare della Forge, casa editrice fondata grazie alla vendita di un trilocale paterno, nonché alla seduzione di un'avvocatessa. La casa pubblicava una decina di romanzi all'anno, e anche una guida gay e *Gargantua*, agenda culinario-politica del goloso sovversivo. Inoltre editava la rivista di letteratura filosofia e società "Mai più". Sul quale titolo si accavallavano le ipotesi. Mai più che ti pago le collaborazioni. Esco a febbraio e forse mai più. Credevo di non leggere mai più certe cose e invece rieccole. Ma a onta dei detrattori, Ulisse riteneva "Mai più" una rivista decorosa e onesta. Insieme a qualche sparata modaiola per lo più riguardante cinema e spettacoli, pubblicava brani interessanti di vecchi scrittori e interventi di giovani rampanti, polemiche non stantie e soprattutto il corsivo di Ulisse, fulminante stiletto conficcato nel cuore dell'accademia letteraria del paese, lancinante spasmo nel quieto corpaccione della sazietà culturale e della ruffianeria del tempo.

Insomma, quaranta righe dove lui si sfogava.

Ulisse aveva scritto anche un libro, *Racconti grotteschi*, secondo gli amici tra Poe e Queneau, secondo i nemici tra *Blob* e Landru. Il libro aveva avuto un piccolo successo. Ma dopo quello Ulisse non era più riuscito a scrivere nulla sopra le cento righe. Non era più sicuro di niente, né di saper scrivere né di potervi rinunciare. Perciò leggeva scrittodattili e traduceva fumetti.

Ma era dura, soprattutto quando diventava routine.

– Lo dica a me – disse Virgilio – ogni giorno davanti a trenta scolari zucconi, per anni e secoli.

– Zitto.

Aspettando Vulcano rilesse la lettera gotica. Chiese a un numero verde di chi era quel numero non verde, ma il numero verde gli rispose che quel numero non verde era fuori elenco. Sentì Circe litigare con un collaboratore che si lamentava perché non lo pagavano da due anni. Nella media, pensò Ulisse. Poi avvertì un frastuono nella cameretta adibita a magazzino. Era Vulcano che entrava da una porticina sul retro, scavalcando pile di copie rese, scrittodattili archiviati e la carcassa di una vecchia fotocopiatrice. Da tempo aveva scoperto l'utilità di un ufficio a tana di volpe, con doppio accesso, per evitare i creditori.

Irruppe nella stanza, ciclopico e gobbuto, un quintale di contaminazione culturale con un completo crème caramel, papillon viola, scarpe inglesi. Quell'eleganza al di sopra delle sue possibilità era il mistero di Vulcano. Qualcuno diceva che se avesse avuto negli affari la stessa abilità messa in mostra per inchiodare conti ai sarti, sarebbe stato lui il Duce del paese.

– Ciao Lello, scusa il ritardo – disse – ma non ho dormito tutta notte. Mi sono perso in un labirinto di scheletri armati e gelatine velenose, poi alla fine ho dovuto combattere con un mostro a dieci teste e dovevo tagliarle a una a una, ma lui mi ha divorato sette volte prima che riuscissi a smembrarlo e ucciderlo e quando l'ho ucciso il suo sangue si è trasformato in un re vampiro e ho dovuto uccidere anche quello.

– Cazzo, Vulcano: cosa avevi mangiato per avere degli incubi così?

– Quali incubi? Ho giocato alla Playstadion.

– Capisco – dissulisse – io invece sono rimasto sveglio a leggere scrittodattili per te.

– Ti fa onore – disse Vulcano, agitandosi e frugandosi le tasche – scusa, potresti chiamarmi al telefonino e farlo squillare, non lo trovo più.

– Dimmi il numero.

– E chi lo sa? Ce l'ho nell'agenda del telefonino.

– Chiedi a Circe.

– Circe – gridò – chiamami al telefonino.

Si fermò in mezzo alla stanza a gambe larghe. Flebili, risuonarono le note di *Bonanza* all'altezza del suo ombelico. Si tolse la giacca, si rivoltò le tasche dei pantaloni, si frugò le pudende, niente.

– Cazzo cazzo cazzo – gridò – ho troppe cose da fare. Vaffanculo il telefonino. Son solo rompicoglioni e grane. Giuro che se lo perdo non lo ricompro.

– Tanto ne hai quattro – disse calmo Ulisse.

– Ladri, sono dei ladri, la Tim, la Omnitel, la Wind, la Trattoria Toscana... lo so è un'altra cosa ma ieri ci ho mangiato, male e caro. Come stai Lello? Non me lo dire, si vede, stai bene, beato te che non fai mai un cazzo.

Prese il pacchetto delle sigarette e ne schizzarono fuori una sigaretta, uno zippo e il telefonino che si schiantò a terra.

– Cazzo, perché li fanno così piccoli? Fammi vedere nell'agenda, perdio avevo un appuntamento alle undici.

– Era con me.

– Sicuro? Beh ho fatto tardi perché son stato a parlare con quella merda di Pietrobelli. Ha lui i diritti del libro di Kirkland. *Dogface*. Ne hai sentito parlare?

– Un po'.

– Un po'? Ma dove cazzo vivi, in una biblioteca? Bianco, rapper, seicentomila copie in tre mesi in America. Uno scrittore straordinario.

– E Marco, quel ragazzo di Milano che ha scritto *Mattoni*? Anche lui è bianco, graffitista e scrive bene.

Vulcano fece un gesto di sconforto universale e accese una sigaretta.

– Lello, cristodio, leggi l'inizio di *Dogface*, senti qui: *ieri quel bastardo di Chavez, il buttafuori del Red Hot, mi ha picchiato così forte che ho vomitato i tacos in mezzo alla Quarantaduesima...* E cosa può scrivere il tuo Marco: ieri quel pirla di Gaetano, il pizzaiolo, mi ha menato e ho vomitato una quattrostagioni in piazza Gramsci?

– Vulcano, stai parlando sul serio?

– Metà e metà – disse Vulcano, tirando fuori dalla borsa un caffè in un bicchierino di carta, anzi un bicchierino semivuoto, poiché il caffè gli era esondato nella borsa. – Gli ultimi titoli stanno andando male, Lello – sbuffò. – Guarda qui, *Delitto al Monte Athos* neanche mille copie. Le poesie, un disastro. Il saggio della Ronaldo poco più di mille...

– Ma è un bel libro profondo, stimolante, ne han parlato sul "manifesto".

– E sai che cazzo – disse Vulcano – abbiamo bisogno di un successo, di un vero successo. Qualcosa che nessuno legga e tutti comprino. Qualcosa da ristampare ogni notte. Tu non scrivi più niente. Quell'irriconoscente di Arturo lo abbiamo lanciato e ci ha mollato per la Mondial.

– Gli hanno offerto venti volte il tuo anticipo.

– Proprio tu mi parli così? Tu ci andresti alla Mondial?

– No, ma ognuno è libero di prendere la strada che vuole. Poi alla fine vediamo dove arriviamo.

Vulcano fece di sì con la testa ma invece pensava no. Spense la sigaretta nel bicchierino di carta trasformandolo in un Dalí.

– Beh, comunque stavolta la Mondial lo prende nel culo – sogghignò. – *Dogface* lo prendiamo noi. Ho fatto un'offerta superiore alla loro. La Mondial offre duecentomila euro, noi due milioni... di lire, naturalmente – e si mise a ridere così forte che gli andò di traverso il caffè superstite.

Ulisse lo percosse a lungo sulla gobba, pur sapendo che non gli avrebbe portato fortuna.

– Non ho pronto il pezzo per la rivista – sospirò – però stanotte ho letto quasi tutti gli scrittodattili. Entro lunedì ti faccio la relazione.

– Beh, allora beccati questi, amico insonne – disse Vulcano, prese tre o quattro plichi dalla scrivania e glieli tirò in grembo. Ne esalò una nube di polvere e cenere di sigaretta.
Il primo si chiamava *Diario di un preside*.

– Plagio e truffa – gridò il professor Colantuono.

– Entro lunedì voglio anche il pungente corsivo – ansimò Vulcano – stampiamo mercoledì, la Grafostampa non ci aspetta più.

– Non stampavamo alla Sis?

– Non mi piaceva come lavoravano.

– Nel senso che volevano dei soldi?

– Più o meno. Oh cristo, queste cooperative tipografiche, compagni compagni e poi basta che non li paghi per un anno e tutti padroncini.

– Senti, anch'io lavoro – dissulisse – anch'io ogni tanto faccio cose di destra come aver appetito o comprarmi calzini. Non potresti pagarmi?

– Cazzo Ulisse – lo interruppe Vulcano alzandosi e sistemandosi il papillon allo specchio – siamo quasi soci, no? Abbi pazienza. Ho delle grandi cose tra le mani. Un libro-videogame su Moby Dick, con la balena boss finale. E un sicuro potenziale best seller: scrittori over 100.

– Sopra i cento anni?

– No, sopra i cento chili. Una antologia di giovani autori obesi. Il loro rapporto col corpo e con la scrittura, fantastico spunto. Ne ho già tre, più una ragazzona di novanta chili, ma alzeremo un po' la cifra, come sulle fascette delle copie. Perché mi guardi così? Non è una buona idea?

– Non so che dire, Vulcano...

– Lo so cosa pensi. Questo si sta arrabattando, le prova tutte. Ebbene sì, e prima o poi faremo esplodere la palude mortifera di questa editoria. Intanto sto pensando di trovare soldi nuovi, nuovi soci per rilanciarci. La Panopticon.

– Sei pazzo Vulcano? La Panopticon è stata venduta alla Aletheia, che è di proprietà della Mondial.

– E che cazzo ci posso fare io se quelli prendono tutto? Ricominci con la ramanzina politica? – disse Vulcano. Stava preparando la sua famosa Finta incazzatura con pace finale, un classico del teatro editoriale novecentesco. – Vaffanculo tu e i tuoi scrittori graffitisti, siete capaci solo di chiedere soldi, ma la baracca chi la manda avanti?

– Me li dai o no i soldi? – dissulisse con calma.

– Scrivi il nuovo libro, invece di lamentarti. Sei lì sospeso a metà, hai quasi quarant'anni e non hai ancora combinato un cazzo. Abitavi in una casa con dei greci...

– Non mi sembra un dato esistenziale rilevante.

– Avevi un amore di fidanzata e la stai perdendo, poligamo politropo dei miei coglioni...

Ulisse chinò la testa. Pilar non era un argomento su cui aveva la forza di replicare.

Vulcano si accorse di aver esagerato e affrettò la pace finale. Venne vicino a Ulisse, e con una micidiale fiatata al fernet lo consolò:

– Va bene Lello, scusa la battutaccia, vedrai che con Pilar andrà tutto bene. Anch'io ho avuto dei momenti di crisi con Venerina. Poi tutto si aggiusta.

– Ma lei non vive con un fioraio sardo?

– Sì, ma non ci siamo mai voluti così bene. Comunque posso darti un assegno postdatato se telefoni a Velcro e gli chiedi un'introduzione a *Over 100*.

– Cazzo no Vulcano, quello non è uno scrittore, le presentazioni dei suoi libri sembrano un consiglio dei ministri, non farà mai un'introduzione a un nostro libro...

– Sforzati bello. Magari se ti impegni un giorno diventerai come lui. Telefoni o non telefoni?

– Dammi i soldi – sbuffò Ulisse. Ghermì l'assegno e uscì proprio mentre entrava la padrona dello stabile, nervosissima, con l'assurda pretesa di riscuotere sei mesi di affitto arretrato. Vulcano si attaccò al telefono facendo finta di parlare in inglese.

– Circe, prova a chiamare Velcro – disse Ulisse.

– Non ci provo nemmeno. È un'anguilla.

– Dammi il numero, ci provo io.

– Okay.

– *Allò, potrei parlare avec monsieur Bruno Velcro? Sono Virgile Colanton della televisione francese.*
– *Aspetti che vedo se c'è. Ha detto?*
– *Virgile Colanton della televisione francese Dondon Deux, vorremmo contattarlo per un'intervista, una lunga intervista sul suo ultimo libro "La resa dei conti" e anche sul problema dell'obesità, gros lards, comprende?*
– *Sono io il dottor Velcro. La proposta mi interessa, ma sia più preciso.*
– *Un americano su tre è obeso, mentre solo un cinese su centomila lo è. Lo sapeva?*
– *Aspetti... mi auguro che il taglio dell'intervista non sia sottilmente antiamericano.*
– *Noi obesi non facciamo niente sottilmente. Farebbe una presentasiòn di un libro di dondons dans un centre social? Oppure dans un centre diététique?*
– *Non capisco...*
– *Lo fa o non lo fa?*
– *Ma non era per un'intervista?*
– *Allora se la sua risposta è no, mi dispiace. Avremmo potuto pagarla grassamente, avec un milione di vecchi franchi. En noir. Ma capisco che lei è molto engagé, impegnato, su vari fronti...*
– *Avete già parlato col mio agente francese?*
– *Abbiamo provato, ma monsieur Chirac non risponde. Purtroppo noi abbiamo bisogno della risposta nell'espace di un matin.*
– *Se il libro è valido, cioè se non attacca per partito preso il premier, e se va almeno su tre telegiornali...*
– *Peccato. Alla casa editrice... cioè al direttore della nostra televisione Dondon Deux sarebbe piaciuto. Dovrò riferire del suo non. Mi stia bene.*
Clic.

– Sei riuscito a parlarci? – disse Circe.
– Sì – dissulisse – ha detto di no.
– Lei è davvero un mentitore diabolico – disse Virgilio – sa che Colanton suona bene, non mi dispiacerebbe essere francese.
– Tais-toi.

CAPITOLO QUATTRO

Ulisse uscì, coi nuovi scrittodattili in una busta di tela, rubata in redazione. Il tutto pesava come un'incudine e lo faceva girare inclinato a destra. Prese un dragobruco verso casa. Mangiò tonno dalla scatola, bevve birra dalla bottiglia e andò a letto con i calzini. Dormì tutto il pomeriggio. Sognò che lui e Vulcano erano su una panchina, in mezzo alla nebbia. Vulcano leggeva "Libernation". Cazzo, disse a un tratto, prova a dire chi ha vinto il Nobel per la letteratura. Chi? chiese Ulisse. Beh, incredibile, ha vinto Foxfirst Fantomas con *Io non posso entrare*. L'avevamo sotto contratto e ce lo siamo fatti scappare. Te lo avevo detto che non dovevi portarlo fuori senza guinzaglio! Poi il sogno si trasformò in un combattimento contro un mostro a dieci teste, ognuna con un cappellino con la scritta *Mondial edizioni*, seguito da alcune vaghe scene erotiche in autobus. Fu interrotto dallo squillo del telefono. Erano le sei di sera e faceva già buio. Era Pilar.

– Grazie di avermi chiamato, oggi – disse con voce seccata.
– Scusa, ho lavorato tutta notte e sono crollato.
– Beato te che lavori. Oggi allo Shop Eden ci hanno confermato i licenziamenti. Diciotto noi ragazze, più quattro impiegati.
– Mi dispiace.
– Ti dispiace?
– Sì, mi dispiace...

(Pausa, silenzio, respiro.)

– Capisco che se non scrivi non riesci a esprimere sentimenti, ma mi aspettavo più partecipazione.

– Mi dispiace, penso che dovremmo vederci e parlarne, magari cercare insieme una soluzione, qualche prospettiva di nuovo lavoro, non so... magari qua alla casa editrice.

– Domattina volantiniamo davanti allo Shop Eden.

– Posso venire?

– Non è una cosa molto intellettuale, ma se ti interessa.

– Verrò. Senti e stasera...

– Non ho la testa per uscire. Ciao.

– Tosta la ragazza, cazzo – disse Virgilio.

– Ma professore, come parla?

– È la vicinanza con quel punk giallista. Mi parli di lei, di Pilar insomma.

– Ecco il problema. Non riesco a parlare di lei, a volte neanche con lei. Quando la vedo mi sento traboccare, franare, straripare, vorrei dirle milioni di cose, ma mi blocco. E non riesco a scrivere una riga sulle emozioni che mi suscita. Una volta mi ha chiesto di scriverle una poesia e le ho portato una poesia di Majakovskij. Ho delegato. Potrei dire che è... in Italia da qualche anno, creola, combattiva, bella, bellissima, sensuale, ha delle gambe...

– Delle gambe? – incalzò il professore, nel suo piccolo eccitato.

– Delle gambe e basta. Non ci riesco. È giovedì oggi?

– Sì.

– E sono le 18 e 50?

– Esattamente.

Ulisse decise che alle fatidiche ore 19 avrebbe telefonato a casa del misterioso Achille. Aspettò, guardando fuori dalla finestra. Aveva ricominciato a piovere, era un autunno lacrimoso e isterico, con rabbiosi e imprevedibili nubifragi. Riempiva i cuori di tedio e le valli di fango. Domattina, ai cancelli dello Shop Eden, Pilar si bagnerà. Pilar, Pilar, fiore latino rorido di nebbia padana. Un giorno riuscirò a scrivere un libro dove ci sarai tu, dalla prima all'ultima pagina. Telefoniamo al misterioso Achille. E speriamo che non parlino gotico.

– Pronto?
– Chi parla?
Era una voce di donna, bassa, dolente.
– Mi chiamo Ulisse, Ulisse Isolani, della casa editrice Forge. Suo figlio, credo, mi ha mandato una lettera.
Ci fu un lungo silenzio.
– Una lettera dice? Come, per posta?
– Sì – rispose Ulisse – per posta.
– Scritta come?
– Al computer. Nella lettera c'era questo numero di telefono, e la richiesta di chiamarlo.
Un nuovo silenzio. Era una sua impressione, o si sentiva in sottofondo un respiro lieve e affannoso, come se qualcuno stesse ascoltando?
– Signore, sento dalla voce che lei è abbastanza giovane e quindi come madre di Achille le parlo con la massima sincerità. Mio figlio vive su una sedia a rotelle. È nato con una grave malattia, complicata da un'operazione malriuscita. Qualche anno fa ha subito un nuovo intervento ed è molto peggiorato, muove solo le mani e la testa. Non so come le abbia inviato quella lettera, ma la dimentichi.
– Ma è una lettera... bella... intelligente.
– Mio figlio è intelligente – disse la madre e la voce si incrinò – è molto lucido e intelligente, ma va protetto. Qui in casa sta bene, ha i suoi libri, è accudito. Ma in questi ultimi anni, ogni volta che è entrato in contatto col mondo... col mondo fuori voglio dire, ha sofferto molto. Non voglio che ciò accada ancora.
– Ma forse...
– La prego, dottore, non insista. Non si lasci trascinare dalla curiosità, la curiosità e la pena sono cose di cui mio figlio non ha bisogno. E le dico un'ultima cosa. Achille ha un volto... pauroso, ecco cosa voglio dirle, per me è il volto di mio figlio, ma temo che se lei lo vedesse non riuscirebbe a nascondere l'imbarazzo o la paura. Il destino è stato crudele con

lui. Fino a qualche anno fa aveva dei momenti di socialità, studiava, rideva. Ora è del tutto imprevedibile, a volte spento, a volte iroso e pericoloso. Abbiamo lottato contro chi voleva rinchiuderlo in clinica, siamo riusciti a lasciargli la sua stanza, la sua casa. Il prezzo è questa solitudine.

Una voce si alzò in sottofondo. Era la voce arrabbiata di un uomo. Con chi parli di queste cose? diceva.

– È Achille? – chiese Ulisse.

– No, è il fratello maggiore. Ora devo lasciarla. Mi dispiace per quello che è successo. Non rimprovererò certo mio figlio per questo, ma la prego, dimentichi quella lettera. Ci lasci in pace.

– Ulisse – disse un'altra voce, da lontano, un grido rauco e animalesco. Poi si udirono nuove voci concitate, e la conversazione si interruppe.

Quella voce perseguitò Ulisse tutta notte. Era un grido di aiuto, gli ricordò una volta che era passato vicino a un macello, il grido di qualche animale, non aveva riconosciuto quale. E poi la voce sofferente della madre, la voce dura del fratello. Quell'accenno alla mostruosità di Achille. Per fermare i pensieri mixò Pinot e Lorazepam. Si addormentò di un sonno minerale. Fece un solo breve sogno, anzi un brandello di sogno. Era in una casa buia, vecchia, polverosa. Stava in piedi in mezzo alla stanza, e da qualche parte c'era una finestra aperta, da cui entrava un vento gelido. Nel buio, si mosse qualcosa. Era un'ombra, un'ombra leggerissima, come la carta delle arance quando brucia in aria, una forma né di uomo né di animale, un nero fantasma indistinto. L'ombra si divise. Metà andò verso la finestra, quasi a voler uscire, ma il vento la rispedì indietro. L'altra metà strisciò fino ai piedi di Ulisse, salì lungo il corpo, esaminò i tratti del suo volto con un tocco leggerissimo. Ulisse era paralizzato, non era vera paura, piuttosto una spossante inquietudine. Poi l'ombra arretrò e prima di dissolversi parlò con voce rauca, addolorata.

– Sei tu il mio fratello – disse.

CAPITOLO CINQUE

Ulisse guidava il suo scooter draghetto Tanaka lungo il raccordo anulare della perpetua nebbia, verso la zona industriale. Il piccolo samurai sondava gli abissi asfaltati con l'ardito fanale. Lo braccavano mostri immensi e rombanti. Lo sorpassò un gigantesco autosnodato che trasportava un asilo nido di diecimila pulcini pigolanti verso un allevamento del Sud. Lo spostamento d'aria spinse il draghetto a sfiorare il guard-rail. Poi lo sovrastò un Magirus-Deutz teutone sedici marce, che esibiva sopra la cabina una madonna luminescente di bachelite. Trasportava mucche al macello. Mentre il titano lo affiancava, Ulisse incontrò gli occhi delle bestie attraverso le fessure del cassone. Una in particolare, gli sembrò triste, conscia del suo destino di proteina. Subito dopo vennero ingoiati dall'ombra di un camion lungo come una carovana di cammelli, recante in groppa un'immane putrella. Il diplodoco attraversò un'enorme pozzanghera e alzò un geyser di acqua sporca che inzuppò Ulisse e la cavalcatura. Ma i due non si arresero. Una serie di sobbalzi segnalò loro che erano vicino alle rovine di Ninive, secolari lavori in corso dove dalla notte dei tempi l'asfalto si torce in crepe e ferite, morso dalle zanne del gelo, sciolto dalla canicola, stremato dal peso dei camion e dall'ignavia degli appalti. Passarono lo svincolo della Fiera, detto il Trivio del Diavolo, dove quell'anno trentasei persone avevano perso la vita. A destra videro il piazzale del Grande Supermarket Abbandonato, il primo a chiudere per la crisi economica. Lì, disse Ulisse al prode draghetto, si dice che vaghi ancora il fantasma della Massaia con la Mannaia che, impazzita per i rincari, ammazzò due cassiere prima di essere abbattuta da un vigilante. Ogni notte la fantasimessa cucina zuppe con barattoli scaduti e verdure marce, e il puzzo percorre i reparti desolati infestati da ratti e blatte, ammorbando l'aria tutto intorno, fino alla Piazzola dei Peccati. In questo luogo di perdizione sostano i giganteschi autotreni internazionali. Tir saraceni ornati di luminarie. Colossali Scania svedesi con corna d'alce, Zastava slavi con marmellate di clandestini, Leyland inglesi con bottiglie di birra al posto dei pistoni, Renault francesi carichi di gourmandises. Tutti, come attratti da una calamita, si radunano nel lato più buio del pornosvincolo. Quivi i nocchieri si accoppiano con ogni sorta di creature provviste di aperture, bocchettoni e meati, colossali puttanoni, travestiti trisessi, regine-drago sfavillanti come alberi di Natale, lolite siberiane, strappone, subione, bruciaculi, bitilli e dicesi perfino quadrupedi quali mucche e ovini provenienti dal carico. Qui i papponi diventano finanzieri e viceversa, qui nascono amori accelerati, qui benzina e sperma celebrano la loro aromatica unione. E mentre procedete lenti nel baccanale tra muggiti di piacere in varie lingue, tra le alcove delle cabine, vedrete che il piazzale si restringe in una stradina, un budello ghiaioso tra pioppi dritti come gendarmi. È la strada verso Shop Eden. Lì si entra nel Lete, un muro di nebbia ancor più densa, un lago lattiginoso e spermatico ove nulla può il faro più potente. Pochi vi si avventurano e si narra di camion giacenti nei fossi, con scheletri avvinghiati al volante.

Ma draghetto Tanaka non è uno scooter qualunque e avanza impavido. Una lama di luna apre spiragli nel cinerino, e sfavilla lassù, a indicare la direzione. Sentirete alla vostra sinistra odore di cadaveri, e uno sciame stridente di fantasmi passerà davanti al vostro parabrezza. Non anime dannate, ma i gabbiani dell'inceneritore, che un sordido appetito ha tramutato da creature marine in terrestri vulturi. Alla vostra destra vedrete piccole fabbriche di armi, motel adulterini e campi di verdure mostruose, rape bianche come teschi e cavoli cannibali che si spostano rodendo erba. Sbucheranno dietro le siepi di bosso graziose villette difese da sbarre, ponti levatoi, fotocellule e cani con zanne da alligatore. Traverserete ponticelli su canali che trasportano miscele di coloranti e acidi, rigati da misteriose scie. Ma se non vi perdete d'animo, se coraggiosamente proseguite, dopo il cimitero di roulotte usate vedrete il cartello Shop Eden, e le prime luci al neon. Ai lati della strada appariranno alberi e cartelloni pubblicitari luminosi, carrozzerie di auto, volti del Duce, strafighe inguêpierate. Sopra l'affanno del vostro motore, sentirete cantare gli uccelli. Non il grido avido dei gabbiani, né il conato dei piccioni, e neanche il bercio dei corvi o il fioco tossicchiare dei passeracei urbani. Vera musica alata, soprano di usignolo e contralto di merlo e oboe di upupa e arpa di allodola. Ma è tutto falso, è un nastro registrato che vi fa da colonna sonora lungo il vialone che porta al castello fatato di Shop Eden, centomila metri quadri di negozi, merci e desideri. Anche l'erba su cui mettete i piedi è sintetica, la ghiaia è di polimero espanso e lo stagno con le papere è artificiale. Le papere sono vere ma, vista la vita che fanno, preferirebbero essere di plastica e allietare qualche vasca da bagno.

Poi c'è il parcheggio. Ai tempi d'oro ospitava seimila macchine, si facevano ore di fila per accedervi, era il limbo da cui entrare all'Eden. Ora ce n'è appena un terzo, la crisi economica morde i portafogli, metà dei negozi sono chiusi e pile di carrelli vuoti arrugginiscono tristemente nei magazzini. Entrando nelle vaste sale, specialmente nel cuore di Shop Eden, l'Eden Market, potreste non accorgervi che qualcosa è cambiato. Il paradiso del consumatore sembra intatto. Tra gli scaffali c'è ancora cibo per sfamare mezzo Malawi, per far venire il diabete al Botswana, per ubriacare il Benin, per vestire mezza Groenlandia, per far giocare tutti i bimbi dello Yemen, per profumare le isole di guano delle Galápagos, per far ballare tutti i masai, per illuminare la notte lappone, per riempire del superfluo, dell'inutile, del troppo, dell'inutilizzato, dello sprecato una vasta zona del globo. Ma guardando con maggior attenzione, potrete cogliere i segni del morbo, la malattia sottile che rode l'economia del mondo e da lì contagia il nostro paese, le sue case e i salvadanai. Qualche cartello in più di offerte speciali e saldi, un velo di polvere su qualche scatoletta, qualche capo di vestiario fuori moda. Ascoltate bene e udrete il triste lamento degli Invenduti: la mela che marcisce nascosta in fondo al cesto, lo yogurt scaduto che cerca di coprire la data della sua fine ignominiosa, il formaggio che emana un lieve afrore, il detersivo a cui fa la pubblicità un divo morto da tempo, i gadget del cartone animato già dimenticato dalla gioventù irriconoscente, gli zainetti con idoli rock svaniti nel nulla, il ferro da stiro parlante bocciato dalle massaie.

E soprattutto, anche se mascherate con festoni e cartelli, noterete che sono chiuse ben dodici casse su trenta. Poiché il morbo, oltre che gli onesti finanzieri e l'incolpevole mercato, ha colpito anche le avide maestranze dello Shop Eden, che vistesi minacciate nel privilegio del loro lavoro, invece di accettare con serenità un licenziamento foriero di tempo libero e svolte esistenziali, hanno iniziato a strepitare, scioperare e picchettare. Eccole, fuori dall'entrata Uno, quella più nobile, intente a distribuire un ignobile volantino contenente accuse alla proprietà e al governo, nonché ovvietà bolsceviche culminanti nello stantio slogan:

Vogliamo soltanto lavorare.

– E il resto? Poetare, contemplare la natura, bagnarsi nei ruscelli come papere, suonare il flauto nei boschi, il resto niente, bestie? – disse Virgilio Colantuono.

– Professore, ma allora lei è un fottuto governativo? – disse Ulisse, fermando il draghetto Tanaka.

– Sono un moderato centrista, avevo equivocato su quel "soltanto" – corresse il professore, fiutando rappresaglie – il lavoro è un diritto inalienabile.

La situazione all'entrata Uno era la seguente:

Sulla destra un banchetto con raccolta di firme a sostegno

delle lavoratrici dello Shop Eden e di altre fabbriche in crisi, banchetto tenuto da Minerva, biondissima sindacalista che vantava dietro le spalle un decennio di militanza e davanti alle spalle una quarta di reggiseno, addetta al tesseramento con ogni mezzo seduttivo democratico. Al suo fianco due leggendarie felpe blu (le vecchie tute blu della fabbrica erano state sostituite da moderne polo). Erano gli operai metallurgici Stanzani e Olivetti detti Stan e Oliver, uno magro e baffuto, l'altro colossale e calvo, presenti ovunque ci fosse da rompere i coglioni a un padrone, dagli scioperi nazionali al più piccolo e periferico picchetto. Famosa una loro manifestazione a tre, insieme all'unico bidello licenziato dal kinderheim privato Santa Chiara, culminata in scontro con genitori fascisti e fitto lancio di omogeneizzati.

Al centro, sotto la gigantesca mucca di gomma gonfiabile testimonial di un noto burro, correva il flusso dei clienti, alcuni dei quali uscendo si fermavano a firmare, essendo al tempo stesso consumatori e consumati, acquirenti e licenziati, in una contraddizione interna al mercato, all'ideologia e al bilancio familiare.

A sinistra (notate la moderna confusione dei ruoli) due vigilantes armati, uno palestroide e uno con rayban, nonché alcuni finti clienti inviati dal direttore Maggiordo a spiare e riferire. Con loro un vecchio signore fiero e traballante che invocava l'intervento della regia milizia contro quell'ignobile manifestazione.

Sparso qua e là, il gruppo delle lavoratrici licenziande, che volantinava a tutto andare. Pilar non c'era.

– È in delegazione a parlare col direttore – disse Stanzani – le ha ricevute solo adesso, dalle otto che aspettavano.

– La vita di un puntuale... – sospirò Olivetti.

– Sì, finisca la frase – disse stupito Ulisse.

– ...è una vita di merda. Ha firmato l'appello?

– Certamente. Secondo lei quando usciranno?

– La sua compagna, dottore – disse Stanzani – uscirà tra breve, perché il direttore non vuole, né può revocare i licenziamenti. Del resto lei sa benissimo che questa azienda è compresa tra i numerosi averi del Duce in persona, anche se una quota di minoranza appartiene a una cooperativa una volta vicina a noi ma ora strangolata dai debiti.

– La tua morosa, caro – disse Olivetti – tra un po' arriverà qui senza aver concluso un cazzo, perché quel servo del capataz non può certo ribellarsi al Duce, e il Duce sta tagliando i rami secchi del suo regno che, se cristodio vuole, sta precipitando e si tirerà tutto dietro, compresi i traditori cosidetti compagni che gli reggono il gioco.

Stanzani e Olivetti non sempre concordavano. Anche quella volta del kinderheim, Stanzani voleva scrivere sulla lavagna "Vergogna", mentre Olivetti voleva lanciare dalla finestra una suora.

Il vigilante palestroide si presentò provocatoriamente davanti al bancone, e si piazzò a gambe larghe davanti a Minerva.

– Vuole firmare? – gli chiese la biondona, senza scomporsi.

– Nella mia vita non ho mai fatto una cosa insieme ai comunisti – disse il vigilante.

– Io invece una volta ho fatto un bocchino a uno stronzo – disse tranquillamente Minerva. Il palestroide impallidì, inghiottì virilmente saliva poi ringhiò:

– Il banchetto qui ostacola l'ingresso dei clienti.

Olivetti arrivò dondolando, con Stanzani attaccato alla manica nel tentativo di frenarlo.

– Lei sa che in Italia c'è una cosa chiamata Costituzione dove è garantito il diritto di scioperare e manifestare?

– Si calmi o passerà un guaio – disse il vigilante. Ma Olivetti, palestrato in laminatoio, lo sovrastava di dieci centimetri in altezza e mezzo metro in diametro, perciò arretrò proferendo oscure minacce. In quel momento uscì la delegazione di lavoratrici, e per ultima Pilar. Bella, scarmigliata, incazzata, fendendo la calca dei clienti.

– Non è andata bene – sospirò Stanzani.

– Però che gnocca di mulattona! – disse Oliver.

– Olivetti! – lo ammonì Minerva.

– Che tipica bellezza latina – si corresse Olivetti.

La tipica bellezza latina arrivò vicino a Ulisse e lo baciò su una guancia, tra l'invidia generale. La sua coscia destra premette sulla tasca, dove il professor Colantuono ebbe una minuscola erezione. Ulisse cercò di cingerla alla vita, ma Pilar non volle, accese una sigaretta e si mise a guardare le luci dello Shop Eden.

– Se penso che devo sbattermi per restare in un posto come questo – disse con voce arrochita dalla rabbia.

Ulisse riuscì come al solito a non dire niente. Insieme camminarono fino allo stagno delle anatre. Riconoscendo in Penelope l'amata sorella, tutte accorsero festanti. Vennero saziate con una merendina. Una insisteva per avere altre leccornie, e Ulisse le rifilò una caramella alla menta glaciale. La sventurata la ingoiò e si mise a sbattere le ali e starnazzare.

– Quante storie – disse il professor Virgilio, invidioso e goloso di dolciumi.

– Ciò che piace agli uomini non necessariamente piace alle anatre – rispose piccata la capa papera, di nome Didone.

– Ad esempio?

– Ad esempio l'anatra all'arancia.

Ulisse fantasticava, aspettando che Pilar avesse voglia di parlare, ma vedendo che lei non si decideva e aveva gli occhi lucidi, parlò per primo...

– È andata male, vero?

– Uno schifo – disse Pilar – ci ha preso in giro e ha fatto battute sulle minigonne. Alla fine ha detto che i tempi non sono più quelli di bella ciao, che bella ciao lo dice lui a noi e non solo confermerà i licenziamenti ma anche... bah, non vale la pena di parlarne.

– Ma anche? – chiese Ulisse.

– Niente – disse Pilar – ma anche un sacco di cazzate...

– Non è vero – disse Minerva, che si era avvicinata e aveva preso Pilar per mano – le altre mi hanno raccontato tutto. Le ha detto che lei è qui col permesso di soggiorno irregolare, e se non la smette di rompere i coglioni la rimanda in Sudamerica. Ma tranquilla, non può farlo.

– Possono provare a fare tutto – disse Pilar – stanno crollando e non han più niente da perdere.

– Io... io... cazzo vado su nel suo ufficio – disse Ulisse tremando di rabbia.

– E gli rompi una matita – disse Olivetti. – Stai buono intellettuale, lasciale fare a noi queste cose.

– Mia madre era sfoglina e mio babbo panettiere – ribatté Ulisse con orgoglio.

– E te sei venuto poco cotto – rise Olivetti con gran tremolio d'epa.

– Non fare il gradasso, Oliver – lo ammonì Stanzani – siamo tutti nella stessa barca.

– Chiedo scusa, signor Ulisse – disse Oliver – una sfoglina per me è come un pittore del Louvre.

Ulisse prese coraggio, l'incazzatura tracimò e le parole sgorgarono.

– I lavoratori non contano più niente? – comiziò all'improvviso, calciando un barattolo e facendo voltare un'intera fila di carrellati. – E poi cos'è questo ricatto del permesso di soggiorno? Che cazzo di paese siamo diventati, e guardali lì, tutti a comprare e spendere e subire, ma cristo, qualcuno non la passerà liscia...

Una vecchietta, con due mortadelline rubate sotto il cappotto, gli passò accanto e accelerò spaventata.

– Stai calmo – disse Pilar – con chi te la prendi, con la gente che fa la spesa?

– È tutto consequenziale – disse Ulisse.

– Tutto cosa? – chiese Olivetti.

– Tutto collegato – disse Stanzani.

CAPITOLO SEI

Ulisse tirò un altro calcio a una lattina vuota e centrò una papera, scaricando così gran parte dell'indignazione. Poi cercò Pilar, ma lei era andata dalle compagne. Vide in mezzo al gruppo degli spioni qualcuno che tirava fuori una macchina fotografica e la puntava verso le ragazze.

– Eh no cazzo – gridò Ulisse – ma dove siamo, alla schedatura?

– Io fotografo quello che mi pare – disse il paparazzo.

La mano di Olivetti si protese lentamente come le piccole gru nei giochi dei luna park, e vinse una Nikon quasi nuova.

– Ridammela, bestione – urlò il paparazzo.

La tensione salì. Olivetti e il fotografo si fronteggiavano, Stanzani mediava, la gente faceva capannello. Pilar gridò qualcosa a una cliente ingioiellata che aveva brontolato qualcosa sui problemi dell'immigrazione. Una papera si mise a urlare slogan di lotta. Un signore con un carrello debordante tamponò Minerva e lei per rappresaglia gli spazzolò via due pacchetti di biscotti con un colpo di tetta. Olivetti operò la macchina fotografica e ne fece uscire viscere di rullino. Il paparazzo gridò di orrore. I due vigilantes arrivarono quasi di corsa, Ulisse si mise in mezzo.

– Adesso chiamiamo la polizia – disse il palestroide.

– E perché?

– State disturbando i clienti e la quiete pubblica – disse il

51

finora zitto coi rayban, togliendosi gli occhiali. Aveva un occhio chiuso e gonfio, con l'altro guardò Ulisse e...

– È lei? – disse a bassa voce.

– Sono io – rispose Ulisse.

– Mi pareva – rispose quello. Era il vigilante ciclope scrittodattilo. Sottovoce sussurrò:

– La Nemo sull'elenco non c'è, e non la conosce nessuno.

– Siamo aperti da poco.

– Comunque ho il libro in macchina.

– Me lo lasci sul portapacchi di quel motorino rosso – sussurrò a sua volta Ulisse.

– Circolare, circolare non è successo niente – disse il vigilante, portando via il collega stupito.

Ulisse rimase immobile sotto lo sguardo indagatore di tutti. Stanzani lo guatava come se avesse appena picconato Trotskij. Minerva muoveva nervosamente un piedino. Olivetti si avvicinò. Ulisse si vide strangolato come spia e dato in pasto alle papere.

– Compagni, possiamo spiegare tutto – gridò il professor Virgilio, ma la sua vocina era troppo flebile.

– Come fai a conoscerlo? – chiese Pilar.

– È il fratello di un compagno tipografo – mentì Ulisse.

Olivetti sembrò appagato e le papere non ebbero l'atroce banchetto.

Il flusso di clienti si era diradato. Ormai cominciava a farsi buio, e naturalmente riprese a piovere e tuonare, il cielo divenne acqua di palude. Pilar accese una sigaretta, e si appoggiò stanca al cofano di una macchina. Da dentro un bambino mimetizzato alla tappezzeria prese a suonare il clacson urlando.

– Non rovinare la macchina di mio babbo, troia!

– Non è la mia giornata – sospirò Pilar.

– È vera la storia del permesso di soggiorno?

– Ma no, avrà tirato a indovinare – disse Pilar – però quando sono venuta qui mi hanno aiutato dei miei amici colombiani, ti ricordi Pablo? Forse ha falsificato un documento universitario, roba da niente. Il permesso ce l'ho, chi vuoi che si metta a fare indagini?

– Cazzo, di questi tempi! Me lo potevi dire, no?

– Me l'hai mai chiesto? – disse seccamente Pilar.

Ulisse tacque. La cosa più originale che gli veniva in mente era: come sei bella quando sei arrabbiata. Meglio tacere. Come al solito.

– Una delle ragazze fa la cubista – disse Pilar guardandolo con sfida – ha detto che se proprio sono disperata, potrei lavorare con lei.

– Ma Pilar...

– Lo so, ci ho già provato una volta e non ho resistito. Ma si invecchia, anche a ventisei anni.

– Pilar – disse Ulisse. – Io, ecco... credo che meriti di più. E poi prima bisogna chiarire questa storia del permesso.

– Una soluzione ci sarebbe – disse Pilar, ridendo improvvisamente.

– Cioè?

– Potresti sposarmi, mi querido, e avrei la cittadinanza.

Ulisse iniziò tre discorsi diversi tutti con un diverso rumore: un uhmmm pensoso, un raschio di gola dilatorio e una specie di piccolo peto labiale alla francese come a dire, mais voyons, voyons...

– Non sforzarti ancora o vomiti – disse Pilar – scherzavo, naturalmente.

La tipica bellezza latina si allontanò, in fondo alle splendide gambe tornite schioccavano le ciabatte che usava in reparto.

Era ora di chiusura, il cielo annunciava altra pioggia, la gente si affrettava. Dall'entrata Uno uscì una famiglia di bunkeristi, quelli che fanno sempre la spesa come se dovessero resistere anni senza uscire di casa. Il figlio trasportava un carrello stracolmo di bibbite, la madre due carrelli con cibi, il padre un maxicarrello sormontato da un totem di almeno duecento rotoli di carta igienica. Il totem oscillava e il padre imprecava, ogni tanto qualche rotolo di crespato rotolava a terra allungandosi come bianca stella filante, o coda di cometa. Giunsero perdendo pezzi fino alla loro auto, un gippone nero e militaresco. Papà bunker spalancò il portellone mentre mamma bunker avvicinava i carrelli e bunker junior già aveva le braccia colme di bibbite. Iniziarono a caricare rapidi e frettolosi, come se da un istante all'altro gli aerei nemici o qualche astronave saturniana potessero scendere dal cielo a bombardare le loro scorte. Ma quando metà dei carrelli fu vuotata, apparve chiaro che il bagagliaio era già pieno, e non poteva sopportare neanche l'aggiunta di una mela. Allora il padre gridò la sua rabbia al cielo, e con un calcio ribaltò il carrello, mentre la madre cercava di infilare un rotolo di crespato sotto un sedile e il figlio beveva sul posto una bibbita, pronto a morire di rutti pur di portarsi via tutto. Restarono lì, con l'auto accesa, tre carrelli pieni e inutili, i volti disperati. Ulisse ne ebbe pena, ma che fare? Ci sarebbero voluti due vagoni merci per risolvere la situazione.

La pioggia crebbe di intensità e risuonò il solito tuono ammonitore. Minerva e Olivetti spostarono il banchetto, i clienti si affrettarono correndo verso le macchine. Tutti fuggivano, la normalità della giornata era andata in frantumi. Con la zavorra delle loro compere, ansanti, bagnati, verso un nuovo ingorgo che li avrebbe riportati a casa. Non era la pioggia, pensò Ulisse. Era un presagio, che accomunava tutti. La paura di qualcosa di ancora più freddo, inascoltato, crudele del quotidiano affannarsi. Era dolore dietro la porta, non ancora visibile, annunciato da un tuono, un clacson isterico, lo strazio di una frenata.

Vide una vecchia correre, coprendosi la testa con un sacco della spazzatura. Trascinava una borsa di plastica zeppa di spesa, che si spaccò. Tutto rotolò a terra.

– La aiuto, signora – disse Ulisse. Raccolse nel sacco il pane, i cartoni del latte, il detersivo, una scatola di formaggini. Vicino a lui la vecchia raccoglieva anche lei silenziosa, coi capelli bianchi già fradici, in fretta, come se qualcuno potesse arrivare e rubarle tutto. Forse diffidava un po' anche dell'uomo alto e magro che la aiutava.

Si alzarono nello stesso momento, la vecchia con fatica chiuse il sacco con un nodo, lo sistemò nel cestino della bicicletta e non disse nulla.

Almeno grazie, pensò Ulisse.

La vecchia salì sulla bicicletta e indossò un buffo miniimpermeabile da cappuccetto rosso. Poi appoggiò un dito sulla bocca ed emise una piccola nota gutturale. Passando, diede un'affettuosa stretta al braccio del suo salvatore.

È muta, pensò Ulisse. E restò sotto la pioggia, finché la vide sparire in fondo al parcheggio.

CAPITOLO SETTE

Uno dei vantaggi di appartenere alla tribù degli scritto-dattili è che hai amici dappertutto. In questura Ulisse cono-sceva Barbieri, poliziotto sindacalizzato autore di gialli quali *Ronda* e *Niente bionde per il brigadiere*. Si impegnò a indaga-re sul permesso di soggiorno di Pilar, e trovò l'indirizzo a cui corrispondeva il numero di Achille. Era una via centralissima. Ulisse aveva deciso di andare, nonostante la telefonata con la madre. Una voce, o un silenzio lo chiamava. Camminò tra ve-trine illuminate con sempre meno clienti, scarperie deserte e taighe di pullover. Commessi annoiati spolveravano manichi-ni cadaverici. Davanti a un bar, tra cataste di moto alcuni gio-vani sorridevano a una telecamera immaginaria. Un allarme d'auto assordava da qualche strada laterale, un barbone dor-miva sotto un bancomat. Ulisse giunse davanti al palazzo do-ve viveva la misteriosa famiglia, ebbe un attimo di paura e pen-sò di tornare indietro.

Il palazzo era quasi interamente occupato dal Crepa, ov-verossia Credito Patrio, banca loggista e massone che ammi-nistrava gran parte del potere cittadino. Ora la banca era chiu-sa, ma si potevano vedere i piani alti illuminati, il portone blin-dato e una pantera della polizia in perenne vigilanza. Era un edificio fine Ottocento, tetro e nerastro, rimodernato con mar-mi cimiteriali e brutte luminarie alogene. Un paio di schermi illustrava ai passanti il pulsare del cuore economico. Cuore anomalo, nelle cui vene scorreva un sangue nero e oleoso.

Ognuno poteva sostare davanti a quelle cifre oracolari. Ognuno, anche se misero o disoccupato, poteva entusiasmarsi con l'impennata delle Mediocredit, o consolarsi con la rovina delle Interfund. C'è sempre qualcuno che sta peggio di te.

Ulisse si avvicinò. Sul lato destro del palazzo si apriva un voltone che portava a un cortile erboso, quasi interamente adibito a parcheggio. Al centro la statua di un Laocoonte con figli e serpenti, il tutto così maldestramente aggrovigliato che non si capiva chi strangolava e chi soffocava. La faccia del Laocoonte, poi, lasciava trapelare un certo qual piacere masochista. Chiamami, sarò il tuo pitone. Nella parte sinistra del cortile proseguivano gli uffici del Crepa, sulla destra si intravedeva uno scalone. Se la banca ridondava di neon, lo scalone era buio. Ulisse salì i gradoni a passi larghi, ascoltando l'eco. Sul primo pianerottolo, tra ficus ingialliti, c'era un grande dipinto male illuminato. Raffigurava san Giorgio che uccideva il drago. Un dipinto di mano non eccelsa, ma che attirava lo sguardo. Il muso del drago, con barba biancastra, era più umano che bestiale. Mentre il volto di san Giorgio, deformato nello sforzo di calare lo spadone, aveva qualcosa di mostruoso, un eccesso di violenza e paura. Il quadro poi era cosparso di pennellate rosse, macchie e fiotti di sangue, anche se l'uccisione non era ancora avvenuta. La scritta latina diceva:

Monstrum absconditum atrocius quam manifestum
Defensor fidei non timet.

La firma del pittore era quasi indecifrabile, ma sembrava corrispondere al cognome di Achille. Un antenato pittore?

Salì ancora. Un portone nero, con fregi di uva e pampini, una rassicurante cassetta delle lettere. Ma il battente di ferro era, ancora una volta, la testa di drago dal volto umano. E la porta era protetta da un'inferriata gigantesca, sproporzionata. Attese un istante, per sentire se da dentro veniva qualche rumore. Non si udiva nulla, solo l'eco del traffico nella strada. Suonò. Passi da lontano, poi vicini. Uno spioncino si aprì. Due occhi azzurri di donna lo scrutarono.

– Chi è lei? – dissero gli occhi. Riconobbe subito la voce della madre.

– Sono Ulisse Isolani, quello che le ha telefonato ieri. Chiedo scusa se mi presento senza avvertire. Ma ho ripensato alla nostra conversazione. Credo che a suo figlio non farebbe male se ci conoscessimo.

– E se facesse male a lei? – disse la voce con durezza.

– Sono adulto e responsabile, signora. Non sono qui per curiosità né per capriccio.

– E per cosa allora?

Ulisse sentì di nuovo che, come accadeva spesso, le parole lo stavano abbandonando, e che da quella risposta dipendeva tutto. Poi all'improvviso qualcosa gli bruciò dentro e spinse fuori una frase:

– Perché suo figlio mi ha chiamato – disse.

La porta si aprì. La madre in gran fretta gli fece segno di entrare, lo precedette lungo un corridoio ancor più buio dello scalone, dove l'unica cosa che Ulisse poté intravedere fu un pavimento di legno scuro e grandi quadri alle pareti. Sottili crepe percorrevano i muri, come a indicare una strada. Entrarono in un salottino.

La madre gli diede la mano, dopo una leggera esitazione.

– Marina Pelagi – si presentò, chiuse la porta e restò un attimo in ascolto, come se temesse che qualcuno li avesse seguiti. Finalmente accese un piccolo abat-jour.

Era una stanza sghemba e pentagonale, con mobili antichi, centrini e piccoli oggetti di argento, un vago odore di canfora. Ma soprattutto, ovunque c'erano conchiglie: da quelle piccole che si possono raccogliere sulle nostre spiagge a grandi conchiglie tropicali dalle labbra rosate, file di telline perlacee, madrepore e mitili azzurri. La madre lo fece sedere su un divanetto di velluto stinto, davanti a un tavolino di vetro con un lavoro a maglia interrotto, la foto di un uomo baffuto, altre conchiglie a chiocciola, una stella marina. In fondo alla sala un altro enorme quadro, una barca su un mare in tempesta, e un cetaceo mostruoso che pareva inseguirla. La luce sul soffitto era un globo impolverato, un grande occhio abissale.

La madre era una donna di una sessantina di anni, magrissima, con occhi celesti e corti capelli argentei. Indossava un vestito fuori moda, grigio e accollato, chiuso da una spilla di corallo. La sua figura e la sua voce erano continuamente percorse da un lieve tremito. Una paura entrata nelle ossa. Guardò Ulisse.

– Lei è un bell'uomo – disse senza civetteria né calore, come se lo catalogasse scientificamente...

– Grazie... questa è una bella casa antica.

– Forse era bella una volta. Adesso ci sarebbero da fare molti lavori. Il soffitto si sgretola, il riscaldamento è sempre rotto. Ma ad Achille piace, non potrebbe vivere altrove.

– Ha sempre abitato qui?

– Molti anni fa vivevamo sul mare – disse la madre, fissando un punto lontano – quando lui stava meglio, e suo padre era vivo.

– È il signore della foto?

– Sì, ed è anche l'autore di questi brutti quadri, quello sullo scalone, quelli nei corridoi e questo davanti a lei.

– Non sono brutti.

– Non mi piacciono, ma non ho mai pensato di liberarmene. Lui li dipingeva ispirandosi a vecchi libri.

Restarono un attimo in silenzio, il divano scricchiolava a ogni movimento di Ulisse.

– Mi dispiace di non poterle offrire nulla – proseguì la madre. – I liquori sono nell'altra parte della casa, dove vive Febo, l'altro mio figlio. Le dico subito, signore, che Febo non ama che qualcuno visiti questa casa. Non dico che si vergogni di Achille, ma preferisce che il nostro dolore resti nascosto. Ora è al lavoro. Se fosse stato qui, io non l'avrei fatta entrare.

– Capisco.

– No, non capisce. È anche lui mio figlio, ma è come se fosse... sangue diverso. È un uomo sano, ha un ottimo lavoro e vuole entrare in politica. Capisco che questa casa triste non è un luogo adatto a lui. Lui vorrebbe venderla alla banca qui vicino, da anni ci fanno offerte...

Lo sguardo della madre si accese un attimo, come se volesse sottolineare che quelle parole erano pericolose e preziose: le sto dicendo cose importanti, la prego, capisca in fretta.

– E se vendete, Achille dove andrà a vivere?

– Achille resterà qui – disse la madre con voce ferma. – Nel testamento il padre ha disposto che, finché Achille è vivo, tocca a lui decidere della casa. Questo è il suo mondo. Lui ha bisogno di molte cose che non servono né a me né a lei. Ad esempio il silenzio, un assoluto silenzio. Poi il buio. La sua malattia non gli permette di vedere troppa luce, peggiorerebbe le sue crisi. Una volta usciva un po', vedeva qualcuno, dopo l'ultima operazione non più. Vive in due sole stanze, ma è come se... ci guardasse in ogni momento, capisce? Non è uno sguardo cattivo. È uno sguardo che chiede rispetto. Lei si sente in grado di rispettarlo?

– Credo di sì – le disse.

La madre si alzò. Strinse le mani, forse per nascondere l'aumentato tremito. Vista di profilo, sembrò più vecchia, scavata e dilavata come una roccia di fondale, eppure in piedi, pronta ad accettare la sfida di quell'intruso, dell'ospite inatteso che veniva a turbare la quiete del figlio. Del figlio amato e troppo amato, come risuonava in ogni sua parola. Sospirò, e disse a voce bassissima:

– Quando vedrà mio figlio potrebbe esserne sconvolto. In questo caso esca dalla stanza senza dire nulla, nessuno la biasimerà per questo. Se no, non si avvicini più di tanto, almeno finché lui non si sarà abituato a lei. Probabilmente non le parlerà, può farlo solo con fatica. Forse comunicherà con lei attraverso lo schermo del computer. Non stia mai alle sue spalle, non lo sopporta, gli si sieda a fianco e, ripeto, non troppo vicino. Se ha una crisi, suoni un campanello, ce ne sono dappertutto.

– Una crisi in che senso?

– Se l'avrà se ne accorgerà. E sia pronto a essere insultato, a sputi, grida e parolacce. Achille non è sempre mite. Resti mezz'ora, non di più. Se io entrassi e le facessi un cenno, lei deve uscire subito. Scusi se le do tutte queste istruzioni, ma è importante.

– Capisco benissimo, signora.

– Mi segua.

Lei camminò davanti a lui, i suoi passi erano silenziosi e invisibili, aveva imparato a volare per non disturbare il figlio, mentre Ulisse sentiva il pesante scricchiolare delle proprie scarpe. Si fermarono davanti a una porta con un vecchio addobbo di Natale ancora appeso. Lei bussò.

– Achille, c'è il signor Ulisse della casa editrice, vuoi vederlo?

Dall'interno un campanello suonò due volte.

– La vuole vedere – disse la madre – ma lo sapevo già. Si è accorto di lei fin dal momento in cui lei saliva le scale, non mi chieda come. Se non avesse voluto vederla, avrebbe già suonato l'altro campanello, quello... della solitudine, non so come dire.

– Vado...

– Mi raccomando – disse lei, e si aggrappò un istante al braccio di Ulisse.

CAPITOLO OTTO

La stanza era grande e quasi completamente buia. Ulisse distinse qualcosa che poteva essere un letto a baldacchino, e una grande finestra socchiusa, da cui entrava un filo di luce che illuminava alcune librerie di mogano, alte fino al soffitto. I libri erano molto ordinati, quasi tutti avevano vecchie rilegature di cartone, senza titolo sulla costola. Riconobbe solo due Atlanti di entomologia. Nessun quadro, o così pareva, alle pareti coperte da una tappezzeria rosso scuro. Poi la vista si abituò e Ulisse vide, al centro della stanza, una scrivania, sopra la quale spiccava una specie di tabernacolo di legno che emanava una luce azzurrastra. Nella luce gli apparvero alcuni campanelli di bronzo, fogli disordinati, una pila di qualcosa che potevano essere medicine, e un paio di candele spente, smoccolate. Vicino alla scrivania, in un cono di buio, c'era il misterioso Achille su una sedia a rotelle. La sedia era moderna, di metallo bianco, aveva piccole ruote e larghi braccioli. Su uno di essi c'era un joystick, e luci verdi e rosse, evidentemente i comandi di una pulsantiera. Immobile sulla sedia, una figura indistinta, forse avvolta in una vestaglia. Una testa di forma sicuramente anormale, inclinata di lato, agitata da un leggero spasmo. Anche se Ulisse era a disagio, decise di non rompere il silenzio e l'immobilità del suo ospite. Restò zitto un lunghissimo minuto. In quel minuto iniziò a percepire nuove cose di quella stanza. L'odore anzitutto, un misto di urina e ammoniaca. E due rumori. Uno era il respiro di

Achille, rapido e irregolare, in cui l'inspirazione era assai più avvertibile dell'espirazione. L'altro era un suono acuto, un vibrare di violoncello, una musica che evidentemente Achille ascoltava a bassissimo volume per chiunque, ma non per lui. La musica cessò di colpo. Ulisse lo interpretò come un segnale.

– Signor Achille? – disse.

Vide sobbalzare la forma, come se avesse gridato.

– Signor Achille sono qui – ridisse, stavolta a voce più bassa.

La sedia cigolò, avanzò. Anche Ulisse fece due passi avanti e vide Achille.

Aveva immaginato quel momento, ma non riuscì a pensare se era meglio o peggio di quanto avesse temuto. La luce azzurra illuminava un volto che lo scultore divino aveva lasciato a metà, o scagliato a terra con rabbia. La fronte era enorme e sporgente, un lobo parietale più grande dell'altro. Il naso e gli zigomi erano come premuti ai lati e le narici dilatate. La mascella sembrava spaccata nel mezzo, e la bocca aperta mostrava una dentatura guasta e puntuta, da vecchio cane. Unico appiglio di normalità in quella anatomia devastata erano gli occhi piccoli e scuri, che guardavano verso l'alto, e un caschetto di capelli neri incredibilmente vezzoso e pettinato. Era avvolto in una vestaglia rossa, da cui spuntavano i piedi nudi. Teneva le mani in grembo. Le alzò e le posò sui braccioli, con molta lentezza e fatica. Erano mani lunghe e curate, fu come se esibisse la sua dotazione esclusiva di bellezza, e mentre con una mano azionava il comando e la sedia piroettava su se stessa, con l'altra indicò a Ulisse di sedersi vicino alla scrivania, su una poltroncina di cuoio. Ulisse vide che il tabernacolo racchiudeva uno schermo di computer. Una cornice di legno istoriato per il logo di Linux. Un computer moderno avrebbe profanato quel buio, preistorico arredamento.

Le mani di Achille si posarono sulla tastiera. Erano bianchissime e segnate di piccole cicatrici. La tastiera era coperta da uno scudo con buchi, per evitare che qualche difficoltà di movimento facesse premere più tasti contemporaneamente. Appena si mise a scrivere, gli spasmi si diradarono. Le dita di Achille si infilavano nei tasti con precisione e velocità.

La conversazione iniziò.

Mi trova bello?

– La trovo come l'avevano descritta – rispose Ulisse.

E lei saprebbe descrivermi con sincerità?

– Posso provarci – disse, e la sua voce gli risuonò altissima e finta. Lui scrive, io parlo, pensò. Gli artifici delle intonazioni, dei volumi, dei gesti, erano ingoiati dal buio e Ulisse capì che sarebbero stati pesanti, inutilizzabili. Le parole scritte di Achille gli sembrarono venire da una trasparenza a cui lui non sarebbe mai arrivato. Ma si sforzò, un po' teso per quel primo imprevisto.

– Lei – disse – è... affetto da una malformazione. Sembra... incompiuto. Oppure... una creatura mai vista, ecco. Un uomo col sorriso da cane, oppure un grosso cane a cui abbiano fatto uno scherzo mettendolo su una sedia a rotelle.

Non male. Lei invece sembra un umano presuntuoso, mal vestito, allampanato, e che cerca di nascondere il diradamento dei capelli con un inizio di ridicolo riporto.

– Può essere – disse Ulisse, e la voce non riuscì a nascondere l'irritazione.

Non se la prenda. Dovremo dirci la verità, non c'è altro modo per sopportarci. Quanti anni ha?

– Trentacinque.

Io quasi trenta. Mi scuso se l'ho contattata in modo così teatrale. Contavo che avrebbe funzionato.

– Perché dice che ha poche possibilità di scrivere lettere?

Questa volta sono riuscito a corrompere Aiace, un infermiere ottuso e sadico che si occupa delle mie sfortune. Per danaro l'ha stampata e spedita. Ma non lo rifarebbe.

– E il telefono?

Quando ha telefonato, mi sono avvicinato alla porta e ho ascoltato quello che diceva mia madre. E ho immaginato quello che rispondeva lei, Ulisse sconosciuto che ora ha un volto. Ma non ho più il sollievo di questa moderna invenzione, da quando ho telefonato alla banca qua vicino dicendo che c'era una bomba nei loro uffici. L'avevo fatto altre volte, ma in quell'occasione mi è venuto da ridere, e la mia risata è inconfondibile, immagini una iena asmatica. Mi hanno riconosciuto e punito con grande piacere.

– Suo fratello Febo?

Vedo che lei ha già conosciuto tutto il bene e il male di questa casa. Mia madre e mio fratello. Mio fratello mi odia e vuole uccidermi. Mia madre, poiché mi vuole bene, mi ha fatto così.

Accese una luce sul tavolo. Ora era chiaramente visibile la sua deformità. La testa enorme dondolava come staccata dal corpo, la bocca si apriva a tratti, come per una fitta dolorosa. Ulisse distolse lo sguardo. Il respiro di Achille divenne affannoso, iniziò ad avere degli spasmi che gli contraevano le spalle e le gambe. Lo sguardo di Ulisse corse ai campanelli.

Stia tranquillo, non è una crisi. Le mie crisi sono sempre accompagnate da una clamorosa colonna sonora e da coreografi-

ca bava. *Non abbia paura, almeno per il momento. Stavo leggendo Joyce, i racconti dublinesi. Li conosce?*

– Sì. Naturalmente non sono l'*Ulisse*, ma...

Nella mano di Achille l'indice si sollevò lentamente. Era il suo modo di interrompere.

Io capisco bene che lei ami un libro che porta il suo nome. Ma lo ha letto davvero?

– Quasi tutto – rispose Ulisse.

Lei fa tutto "quasi"? Anch'io. Ma nel mio "quasi" c'è un'impossibilità, nel suo c'è una scelta, una noia, un'insufficienza. Lei è qualche volta "quasi" solo?

– Proprio così.

Io no. Io sono solo in modo diverso da lei. Lei vaga in una grande stanza con una porta in fondo, l'uscita dalla sua solitudine. Qualche volta vede la porta ma fa finta di niente, continua a vagare e lamentarsi e dire a se stesso, sarò sempre solo. Io invece vago in una stanza senza porte. Posso tutt'al più sognare una porta.

– Non esce mai da qui?

Quando stavo meglio, come dite voi, e la malattia mi corteggiava con più stile, uscivo assai di rado. Andavo in una piscina per sirenoidi, o a trovare amici immobili come me. Ho subito diversi interventi, ho una sonda che collega cervello e cuore e, come forse le è stato detto, soffro della rarissima sindrome Sdc. Nell'ultima operazione, qualche anno fa, l'ignoranza degli uomini perfezionò la crudeltà divina. La malattia scoprì nuove torture, e i medici nuovi farmaci. Da allora non esco più. Se non fossi ridotto così, mi piacerebbe andare in qualche vecchia bi-

blioteca. O passeggiare e guardare il culo delle donne, o degli uomini.

Ulisse cercò di ridere ma non ci riuscì. Se avesse avuto il computer avrebbe potuto scrivere ahahah.

Sorpreso? Le parrà strano ma io non leggo solo Joyce e non trascorro tutto il mio tempo nobilmente. Vede, ora cerco faticosamente di prendere questo volume di Mallarmé. E nello stesso momento in cui poso la mano su questi versi immortali, io mi sto pisciando addosso. Anche se sono attrezzato come un astronauta, non mi ci sono mai abituato. Prima che lei venisse qui mi sono masturbato, senza fantasie, per allentare la tensione. Lo faccio spesso. Ho desideri proprio come lei, violenti e non rinviabili. Ho una vita erotica che lei forse neanche sogna, o sogna con paura. Non le dico questo perché voglio farle vedere il mio male, per esibirlo tutto e subito. Glielo dico perché dopo questo verrà altro male, e dolore, e odio mio per lei e suo per me, e poesia, e merda, e tutte e due insieme.

– Vuole che le risponda con durezza? – disse Ulisse. – È questo che vuole, una parità nel bene e nel male?

Achille soffiò come se si gonfiasse, una cosa comica e terribile. Era il segnale della sua ira. Poi scrisse in fretta, per la prima volta sbagliando.

Non è quello che voglio, è quello che è! Siamo uguuaili, nel bene e nel male.

– Okay – disse Ulisse – siamo uguu-ailiiiii...

Achille rise, di una risata faticata che gli spezzava il respiro. Infantile, inattesa, contagiosa. Chiuse gli occhi e per la prima volta Ulisse riuscì a comporre insieme i lineamenti, ad avere il coraggio di guardare le orecchie attaccate alle tempie, le labbra sghembe. Il mostro si dissolse in un volto, un volto mai visto prima.

Noi non siamo uguali in tante cose, ma lo siamo in altre. Ad esempio ci piace ridere. Sovrana libertà del riso. Ho letto i suoi racconti. Meccanismi elementari talvolta, ma grande fantasia. Provi a chiedere chi è il mio comico preferito.

– Aristofane? Swift? Queneau?

Dardani. Il professor Paride Dardani, mio medico curante, ovverossia pagato per far credere di curarmi. Le sue tragicomiche diagnosi di miglioramento o peggioramento. La rabbia di non riuscire a codificare i miei sintomi. Le sue ricette chimiche, le sue precise dosi di veleno. Le acrobazie sintattiche quando descrive la mia malattia. Ipocrisia ammantata della bella lingua greca. Macrocranio con lesioni midollari, idrocefalo fotofobo priapico. Paride, primario con frecce chimiche autorizzate. Zeus lo inculi con una saetta, il bastardo. Basta. Sono stanco.

– Vuole che vada?

Tra un po', non ancora. Non le ho neanche detto perché l'ho chiamata qui. Il motivo è... (e qui immagini una pausa e un mio sguardo finto umile e furbesco)... che ho iniziato a scrivere un libro. Se la aspettava da me una cosa così normale?

– Sì e no – rise Ulisse.

In realtà io l'ho chiamata per ucciderla.

Achille lo guardò. Quasi senza volere, Ulisse spostò la sedia indietro. La bocca dell'altro si spalancò in una smorfia beffarda.

Scherzo. Cosa sarebbe la letteratura senza i cattivi e i mostri, senza colpi di scena e senza assassinii? Sto scrivendo un li-

bro, forse di poco valore, ma ho bisogno di lei perché io ho le parole, ma non il mondo. È una storia d'amore e io non ho mai conosciuto una ragazza. Emma Bovary, Molly Bloom, Elena e Criseide certo e tante altre, ma quelle vanno con tutti. Io ne voglio una mia o almeno mia per metà. E lei ce l'ha. C'è un racconto nel suo libro, si chiama "La ragazza del mare", in cui lei parla di una donna particolare, una ballerina, non italiana, forse una creola...

– Sì, è Pilar. Come ha fatto a capire che è un personaggio ispirato da qualcosa di vero?

Lei vive nel tempo delle parole dette. Io in quello infinitamente lungo di quelle scritte. Ne conosco i segreti e ci sono alcune parole, in quel racconto, che smascherano la sua ispirazione, il suo turbamento. Non riesce a dire nulla di quello che prova davvero per lei, ma si tradisce. Ebbene lei mi deve parlare di quella ragazza. Volto, voce, figa, culo, odore, tutto. E io ne nutrirò la mia storia.

– E poi mi darà il libro da pubblicare?

Lei è stupido, mostruosamente stupido. Mi interessa scrivere e basta. In cambio posso pagarla bene. Come vede, non siamo più una famiglia ricca. Ma ho qualcosa da parte. Quanto vuole?

– Niente – disse Ulisse – ma cosa crede? Non voglio niente.

Vede? Le ho permesso di fare una bella figura. Lei non guadagnerà tesori ma forse imparerà qualcosa sullo scrivere. Così filò il Fato. Io e lei abbiamo nomi omerici. Achille ha la tragedia come destino. Mia madre mi bagnò nella vasca sbagliata. Sono invulnerabile solo nel tallone. Lei, Ulisse, ha per destino l'avventura e incontrare mostri. Mi dica che tornerà, dopodomani alle undici. Mio fratello non ci sarà. E la prego, non parli con nessuno di quello che accadrà qui dentro.

– Certo: terrò il segreto e tornerò.

Non ne sono sicuro. Potrà dirlo solo quando sarà uscito da qui e ricorderà questi momenti. Io posso ucciderla, deformarle quella bella faccia, scavare nella sua anima e farle capire che lei è su una sedia paralizzato, spiato dal dolore quanto me. Posso rubarle Pilar, scoparla, stuprarla, ammazzarla. Posso chiamare qui tutti gli scrittori che hanno sofferto e portarli a testimoni di ciò che lei non ha capito fino in fondo, che tremenda responsabilità è scrivere, e di come lei gioca con parole che potrebbero incenerirla. Posso farle vedere come il privilegio di ridere e far ridere è un dono impagabile, per cui nessun ringraziamento o preghiera è sufficiente. Posso far questo. Ma non posso alzarmi, darle la mano e dire: amico mio, ritorni pure a parlare con me. Non posso accompagnarla alla porta. Non posso nasconderle che sono nelle mani di mia madre, di un infermiere sadico, di un fratello maggiore che mi odia. Noterà che io ho scritto più di quanto lei abbia parlato. È in questo tempo che le chiedo di entrare. Non per diventare mio amico, la mia solitudine è senza porte. Né per dividere le mie fantasie e la mia infinita cattiveria. E il mio eros scandaloso, e certamente disdicevole per un cane in vestaglia...

– E per cosa allora?

Se fosse intelligente l'avrebbe già capito... Tra poco lei se ne andrà, per me è il momento del farmacon, del prolungamento dell'agonia. Non faccia quel volto compunto. Sta morendo anche lei, in fondo ai suoi giorni c'è un'ultima ora che sarà uguale alla mia. Se tornerà a trovarmi bene, se no resti nel suo mondo che copre coi profumi il puzzo di feci e medicine. Torni ai suoi trucchi. Alle sue conversazioni senza verità. Sì, mi dispiacerebbe se lei non tornasse, ma se capissi un solo istante che lei torna per pietà o senso di colpa, balzerei da questa sedia e la azzannerei alla gola. Si senta esentato dalla pietà. Io non mi nutro di pietà come lei. Io l'ho rifiutata spesso, lei ci si è rotolato dentro...

71

– Non c'è bisogno che mi insulti – disse Ulisse – deciderò da solo.

Guardi in faccia la mia rabbia e io guarderò la sua. Prenda quel foglio sul tavolo: c'è descritta la sindrome Sdc. Ne legga gli orrori e decida se tornare. Ma se torna, mi dovrà parlare di Pilar. Questo è il patto. Lei sta da tempo guardando lo schermo e non la mia faccia. La guardi bene ancora una volta, non la dimentichi. Non può cambiare, morirò con questo volto come lei morirà col suo. Il mio teschio verrà studiato, il suo no. Un altro vantaggio che la vita mi ha donato. Adesso ripeta la domanda che mi ha fatto prima.

Ulisse cercò di parlare, poi gli venne da ridere imbarazzato.

– È difficile ripetere a distanza la stessa domanda. Sa di copione teatrale.

Allora la scriva.

Ulisse si avvicinò. Per scrivere, dovette sfiorare la spalla di Achille, ne sentì l'odore e il respiro affannoso, vide le sporgenze delle sue ossa, lo spasmo che saliva lungo il collo. Batté sulla tastiera.

Perché dovrei tornare e raccontare di Pilar?

Per far nascere...

Achille fece scivolare le mani giù dalla tastiera, spense la piccola luce della scrivania, e subito dopo il computer. La stanza piombò nel buio. Ulisse ebbe un attimo di inquietudine, si alzò senza saper cosa fare. Achille ruotò la sedia, e fece il segno con l'indice alzato, il congedo. Ulisse uscì dalla stanza, la poca luce del corridoio gli sembrò sfavillante. La madre non c'era. C'era un uomo basso e tarchiato, con un camice bianco. Senza neanche guardarlo, gli aprì il portone. Ulisse scese lo scalone e uscì in strada. Prese il foglio e lesse.

La sindrome Sdc, o sindrome di De Curtis, nei pazienti macrocranici idrocefali è molto rara, se ne conoscono solo due casi, quello dello scrivente e un altro nelle isole Samoa. In questa sindrome il paziente, pur affetto da un catalogo di sfighe da schiantare un condominio, viene colto da inattese, improvvise crisi di allegria, accompagnate da rictus labiale, turpiloquio, e flatulenze avvertibili anche senza stetoscopio. Questi attacchi vengono definiti dalla medicina parossismo euforico, ma potrebbero essere, in realtà, semplici trabboccamenti di energia, provenienti da zone del cuore o del cervello non intaccate dal morbo. Tutto questo inquieta grandemente la scienza medica e deride ogni quadro clinico consaputo. Per tale motivo si sta cercando da tempo di terminare il paziente mediante attacchi chirurgici e biochimici, al fine di passare alla fase autoptica della cura. Venendo al dunque: cos'ha da ridere uno conciato così? Perché la sindrome di De Curtis è sovente associata alla sindrome di Lovecraft? Sono domande a cui la medicina deve trovare una risposta, per ristabilire le certezze scientifiche e l'uso funereo e decolpevolizzante della compassione.

Bibliografia essenziale.

Aa.Vv., "La sindrome di De Curtis in pazienti macrocranici idrocefali samoani".

Dardani, "I cinquanta migliori cocktail di farmaci per pazienti affetti da Sdc".

Roversi, "Diagnostica e terapia".

Totò, "'A livella".

Bene, pensò Ulisse. Non è soltanto brutto e aggressivo. È anche pazzo.

CAPITOLO NOVE

Quella notte venne il diluvio, dalla finestra Ulisse vide la strada allagarsi, e un fiume di acqua fangosa scorrere trascinando foglie e dépliant pubblicitari. Un Acheronte furibondo cozzava contro i tombini intasati. Zeus puniva quel paese e i suoi miserabili tiranni. Tra lo scrosciare della pioggia, Odisseo si avventurò nella lettura di *Non c'è posto*, saggio sui nemici dell'Occidente di tale Maragnani, colonnello in pensione. Un'accozzaglia delirante di luoghi comuni beceri, razzisti, astiosi che accomunava islamici e froci, pacifisti e meridionali, per concludere con l'assoluta necessità di sterminare i cinesi entro pochi anni, o avrebbero bevuto tutta la nostra acqua. C'era anche il calcolo di quanti litri avrebbero consumato gli asiatici se avessero cominciato a fare la doccia ogni giorno, e la teoria che l'Aids e la Sars si propagavano tramite le cabine elettorali.

È un libro così orrendo, pensò Ulisse, che se qualcuno decide di sponsorizzarlo potrebbe anche diventare un best seller. Ma non sarò io a farlo. Così si addentrò nelle cinquecento e passa pagine di *Memorie dalla cattedra*, una prosa agile come un bradipo artrosico, che s'inerpicava mediante triplicazione di ogni aggettivo e grande consumo di nondimeno e qualsivoglia e poscia e pria, ma almanco non intrisa di odio per il genere umano. Dopo una ventina di pagine, precisamente nella pagina e mezzo in cui lo scrivente si invischiava in un acrobatico paragone tra Leopardi e il fico d'India, la testolina del professor Colantuono uscì dalla tasca.

– Cosa ne pensa?

– Professore, facciamo un patto. Finché non finisco la sua opera, non faccia domande.

– Non è giusto farmi soffrire così...

– Lei ha fatto stare col fiato sospeso e il tormento nell'anima migliaia di allievi, in attesa di un voto, di un'interrogazione, o dello scrutinio finale. Ora, per contrappasso tocca a lei aspettare la bocciatura o la promozione.

– Sarò muto.

– E poi dov'era ieri, quando sono andato a trovare Achille?

– Ho avuto paura.

Ulisse riprese a leggere, ma gli occhi gli bruciavano. Cercò invano di addormentarsi. Provò le tre posizioni fetali, le sedici giravolte del gatto, la passeggiata del sonnambulo, una doccia calda, una partita del campionato portoghese alla televisione. Niente da fare, l'insonnia pistoria non perdonava. Un torrente, una cataratta, un'infornata di pensieri... Stette sveglio fino alle cinque, poi dormì o sognò di dormire un'ora e alle sette uscì nella città invasa dall'acqua.

Era l'inferno. File di auto sotto la pioggia, strade chiuse, ingorghi da cui saliva una canea di clacson. Mostri con macrocrani rotondi e istoriati procedevano su motosauri a due ruote, zigzagando per sensi unici e marciapiedi. Alla fermata del dragobruco in ritardo c'erano già almeno cinquanta persone fradicie e inviperite. Il bus arrivò stracolmo. Molti, dimenticando ogni legge fisica ed etica solidale, cercarono di salire, mentre gli inscatolati con esortazioni e anche spinte e ombrellate li respingevano. Alla fine alcuni riuscirono a infilarsi, infittendo la poltiglia antropoide. La porta si chiuse tranciando il cappotto a un signore e una fetta di culo a una signora. Alcuni minuti dopo arrivò un altro dragobruco, pieno ma con ancora un metro quadro disponibile, in cui si accalcarono in venti. Resistendo ai rispettivi afrori tutti si compattarono in quella salamoia. Odisseo chiuse gli occhi, ricordando quando lui e i suoi amici erano nel cavallo di Troia, silenziosi e pronti all'impresa. Era quasi giunto illeso alla meta, quando alla penultima fermata vide in agguato un gorilla in loden, un occhio semichiuso e l'aria feroce e ritardataria. Lo scimmione prese la rincorsa e si proiettò dentro. Si udì scricchiolar di ossa e schiantar di ombrelli. Ulisse aderì a una signora bruna e impellicciata, odorosa di Guerlain. Non gli dispiaque e la signora bruna non protestò. Alla fermata, Ulisse pensò: quasi quasi resto su. Ma ormai era nella zona discesa, e quando le porte si aprirono fu letteralmente spinto ed eiettato fuori. Si voltò in tempo per vedere un paio di occhi ridenti sotto un colbacco.

Pilar era già passata dal salone dei suoi pensieri a una stanzetta, e il suo cervellino poligamo e politropo già elaborava strategie per l'indomani, prendeva atto dell'ora in cui la signora era salita e di alcune possibili avances. Vagò per librerie, poi salì nel sarcofago ascensoriale ed entrò in redazione. Circe aveva una nuova pettinatura riccioluta e una minigonna zebrata. Di nuovo fantasticò.

– Ti vedo in forma – disse con un certo sforzo di originalità. – Vulcano c'è?

– No. È alla riunione degli editori gastronomi, in Toscana. Ti ha lasciato un biglietto.

O mio dotto collaboratore. Ci siamo. Forse ho trovato un nuovo socio, e la Mondial non c'entra. Preparati a diventare un ricco scrittore, oppure ricco e basta, visto che non scrivi più una riga. Ieri ho conosciuto un simpatico giovane cuoco che mi ha promesso uno scrittodattilo pieno di sangue e spezie. È grassottello: con il suo racconto e quello di un magro con pseudonimo, possiamo chiudere l'antologia "Over 100". Il quintalismo sarà il movimento letterario dell'estate! Fammi un favore. Telefona a Nembi, e chiedigli se vuol fare l'introduzione al volume. È schivo ma militante, e ricattabile con adeguati sensi di colpa. Un fiducioso abbraccio. Valerio.

Odisseo ci pensò su. A quel che sapeva lo schivo Nembi rispondeva più volentieri a voci femminili, anzi la sua schività si dissolveva in presenza di minigonne. Ma Circe ricciolibelli stava battendo al computer e inoltre al telefono aveva una voce gallinacea per nulla intonata alle sue bellezze. Perciò si decise a telefonare lui. C'era una segreteria, sibilante di esse e per niente incoraggiante. Ma qualcosa gli diceva che Nembi era in agguato vicino al telefono.

– *Sono di una piccola casa editrice di sinistra* – disse Ulisse col tono più lamentoso possibile.
(Rumori, irrompere di voce non registrata.)
– *Dica pure.*
– *Sono Ulisse Isolani, della Forge edizioni. So che lei è schivo e mi dispiace disturbarla a casa. Ma c'è un'antologia di scrittori esordienti, e pensavamo che lei, tanto amato dai giovani, avrebbe potuto scrivere l'introduzione.*
– *È un periodaccio. Quanto tempo avrei?*
– *Venti giorni, un mese.*
– *Guardi, questa settimana devo andare a leggere in due teatri. Poi vado in un centro sociale per un dibattito. Poi ho le prove di una commedia e devo presentare il libro in Tirolo.*
– *E il mese prossimo?*
– *Sono a una fiera del libro in Germania, poi a un festival del jazz, poi devo partecipare a una performance con un pittore e un idraulico in una galleria d'arte. Infine dovrei rimanere un po' in pace...*
– *Capisco. Essendo schivo...*
– *Io non sono schivo, semplicemente non vado nei posti che non mi piacciono. Sono selettivo.*
– *Ma la nostra piccola casa editrice le piacerebbe, e la sua firma sarebbe importante per noi. Non per convincerla, ma ho letto cinque o sei dei suoi libri.*
– *E gli altri?*
– *Li ho comprati e li leggerò. Allora?*
– *Mi telefoni tra un mese. Ma non le prometto niente.*
Clic.

Non c'è niente da fare, pensò Ulisse: troppo schivo, anzi, troppo selettivo: non è uno scrittore, è un prefisso. Andò nella stanza di Circe ricciolibelli, si sdraiò languidamente sulla scrivania e le chiese informazioni sul fidanzato. Di fronte alla dichiarazione "crepi, quello stronzo" capì che qualcosa si era incrinato nel rapporto. Fece il cicisbeo qualche minuto, finché si sentì tirare per la giacca.

– Non aveva appuntamento con Pilar a mezzogiorno? – segnalò il professor Colantuono.

– Zitto – dissulisse. Guardò dalla finestra e vide che l'ingorgo era più che mai infernale, e la pioggia più che mai fitta.

– E adesso come ci arrivo allo Shop Eden? – pensò a voce alta.

– Se vuoi, Lello – sussurrò Circe – posso darti io uno strappo.

Circe aveva una Microbo rossa odorosa di cane e albero magico. Guidava veloce e incazzata nel traffico e nelle pozze d'acqua. La minigonna le era salita a livelli onfalici, e fumava nervosamente. Aveva una bella bocca carnosa e la sigaretta le pendeva deliziosamente sul mento. Ulisse era eccitato. E più cercava di frenare, di riflettere, di condannarsi, più il suo cromosoma di poligamo politropo lo rendeva sfacciato e ridicolo:

– Dai Circe, in cambio del passaggio, ti offro una cena, una di queste sere...

– Lello Lello, sei incorreggibile. E la tua fidanzata, quella bella ragazza che veniva in ufficio?

– Ma sai... ci vediamo ogni tanto... è un periodo difficile.

– Ci penserò – disse la graziosa nocchiera, e si fermò davanti al parcheggio dello Shop Eden. Ulisse nel congedo voleva astutamente baciarla tra guancia e collo, ma appena fu sceso, dietro la Microbo esplose un sabba di clacson.

– Vado vado, che cazzo – disse Ulisse, e sprofondò in una pozza fangosa di media profondità. Bestemmiando, guadagnò l'ingresso dello Shop Eden. Una tipica bellezza latina lo aspettava all'entrata Quattro, con il camice da lavoro e un golfino buttato sulle spalle. Tremava per il freddo. Pilar, fiore esotico nella serra mefitica del mio paese, perdono perdono, amo solo te e non ti mentirò mai più, pensò Ulisse.

– Ciao – disse lei – pensavo che non riuscissi ad arrivare. Come hai fatto?

– Mi ha dato un passaggio un amico – disse Ulisse.

Mangiarono al Mac Pork dello Shop Eden, gli altri posti erano troppo cari o troppo chiusi. Lui prese un Big Pork con patatine luride, lei un Timmy and Tommy con sperma di senape. Tutto intorno la gente scorreva, i carrelli cigolavano, l'altoparlante diffondeva le normali offerte speciali. Lei era triste, lui le prese la mano.

– Brutto periodo, vero?

– Brutto davvero. Ma ne verrò fuori – disse Pilar – mi mancano solo due esami e la maledetta tesi, non posso fermarmi adesso. Troverò i soldi per le tasse di quest'anno. Venderò fiori nei ristoranti, spaccerò coca, non lo so...

– Io posso prestarti qualcosa...

– Non voglio soldi da te. Pensavo che potrei... lo so che questo discorso ti fa incazzare, ma potrei ballare due o tre volte, in un locale. Con due o tre scodinzolate mi pago le tasse.

– Ma Pilar, la dignità...

– La dignità – disse Pilar – puoi avercela ancora battendo sui viali, e non averne un briciolo anche se sei padrone di questo mercatone di merda, e di tutti i prosciutti e libri che ci sono dentro. Io vado e ballo, e succeda quello che succeda.

– E io sono geloso – muggì Ulisse – io sono geloso, cosa posso farci?

Da un tavolo vicino alcuni maschi manducanti approvarono con lo sguardo.

– Tu sei un poligamo politropo no? – disse Pilar. – Allora vieni anche tu e magari c'è qualche altra cubista che ti piace.

Non è da escludere, pensò Ulisse ma non estrinsecò. Disse invece:

– Cerchiamo un'altra soluzione. Se non la troviamo, allora cubo.

Pilar sorrise.

– Così va meglio. Ti sei informato per il mio permesso?

– L'ho detto a un amico in questura. Farà indagini.

– Grazie – disse Pilar. Lo sfiorò con una gamba sotto il tavolo e poi lo baciò sulla bocca, davanti a tutti, con tipica latina impudicizia. La sua bocca sapeva di Caraibi e crauti.

– Ci vediamo stasera? – disse illanguidito Ulisse. – È un sacco che non vieni a casa mia e...

– Stasera mi vedo con le ragazze dello Shop, dobbiamo metterci d'accordo per il proseguimento delle iniziative, scioperi, cortei interni, eccetera. Cercano di dividerci, ad alcune hanno offerto una piccola cifra extra per andarsene senza rompere le balle. Ma noi teniamo duro.

– Le ragazze dello Shop – brontolò Ulisse – ma insomma, cosa pensate di combinare? Non vedete che stanno chiudendo tutto?

– Qui chiudono, ma riaprono dall'altra parte della città, con stipendi dimezzati e senza contratto – disse Pilar – dai, cabezón, ci vedremo la prossima settimana, non fare quella faccia.

– Non mi dovevi baciare – disse lui col broncio – adesso sono eccitato, cosa faccio?

All'entrata del Mac Pork c'era un enorme porcello di peluche, col sedere in aria. Pilar pensò che Ulisse avrebbe potuto farne buon uso. Ma non aveva voglia di scherzare, e si alzò con un sospiro.

– Sai Ulisse, a volte penso che l'unico modo di andare avanti tra noi, sarebbe che non ci conoscessimo. Ricominciare tutto da capo. Da quel giorno in libreria. Capisci cosa dico?

– No – disse Ulisse.

– Beh, allora "mi dispiace", come dici sempre tu – concluse Pilar e sparì per l'ennesima volta, le belle gambe nelle ciabatte da lavoro, i capelli neri dondolanti sul culo e la sua indomabile anima e il suo carattere di merda, lasciandogli anche un Mac Conto da pagare, non un gran conto ma insomma, cazzo.

Prese due dragobruchi strapieni senza signore brune a cui aderire. Tornò a casa, riesumò un cicchino di un farmacon giamaicano su cui l'opinione pubblica si divide, e cercò di lavorare. Provò a scrivere qualcosa su Pilar, magari anche perfido e iroso, qualcosa contro di lei, contro le loro vampate di amore e lontananza, ma non gli uscirono che poche frasi senza passione. Volle provare a descrivere il loro primo incontro in libreria. Non ci riuscì. Di un tratto si sentì vuoto e decise che non sarebbe tornato a trovare Achille. Sì, Achille era un povero eroe colpito dal destino, ma anche Ulisse era inviso al destino e quando uno è triste non servono le classifiche, non c'è un tristometro, è inutile dire sto mediamente peggio di te o decisamente meglio di te, si diventa tutti ottusi ed egoisti e la propria tristezza diventa una grande campana in cui ci si chiude, per non ascoltare la tristezza degli altri.

Posso scegliere tra alcune prospettive, pensò. Resto in casa a leggere Goethe, o a masturbarmi via internet sul sito www.Germanhard.de, oppure telefono a Circe, o esco e vado al bar a parlare del menisco di Mironi, mio calciatore preferito. Optò per l'ultima soluzione. Prese l'ombrello e stava per spegnere il computer, quando pensò di controllare la posta. C'era un solo messaggio, giratogli dall'ufficio. Era di Achille. Diceva *leggi per favore* e c'era un allegato.

L'allegato era questo.

€ntrai nella libreria sotto casa mia con fatica. Due settimane prima ero caduto in motorino, e mi ero rotto la tibia. Perciò dovevo girare su una sedia a rotelle, con la gamba ingessata protesa in avanti, come il cannone di un carro armato. Avevo noleggiato una sedia modello Xanto, dotata di ruote piroettanti, motore dieci cavalli a dondolo, comando a joystick. Poteva danzare come una ballerina, impennarsi come un destriero, e persino andare in retromarcia. Ma non scalava i gradini e all'entrata della libreria ce n'erano tre. Perciò rimasi indeciso se chiedere aiuto o tornare indietro, quando una voce alle spalle disse: vuoi entrare? E vidi due mani bellissime, olivastre, sulle mie spalle. Sollevarono vigorosamente la sedia facendo perno sulle ruote posteriori, e mi spinsero nell'agognato regno dell'editoria. Vidi scendere su di me una pioggia di capelli neri, odorosi di carnauba. E seguì l'incantevole visione di un profilo di ragazza, occhi neri e zigomi incas. Riuscii solo a esalare un grazie, mentre con un sorriso lei si allontanava verso il reparto tascabili. Il cuore mi batteva forte, e per un intero minuto mi fermai nella zona libri di animali, sfogliando le imprese di foche e procioni senza rendermi conto di quello che facevo. Poi presi coraggio e spinsi le ruote verso la zona della libreria dove avevo visto dirigersi la mia salvatrice. Non la trovai, nel manovrare la sedia mi mossi goffamente tra le pile di volumi e feci precipitare al suolo diversi poeti, alcuni già duramente provati dal destino. Mentre mi sporgevo per recuperare Sylvia Plath, sentii nuovamente l'odore di quei capelli, e lei scese davanti a me, in ginocchio davanti a me, e raccolse il libro. Restammo a guardarci, ringiovaniti e timidi, ad altezza di bambino, io sulla mia sedia e lei inginocchiata, bambini che si annusavano e non sapevano quale sortilegio aveva cancellato il paesaggio intorno, come quando a scuola si cancella in fretta un disegno, per farne uno più bello, l'unico degno di noi, e di essere mostrato. Pensai subito di prenderla tra le braccia, caricarla sulla sedia e rapirla, io lei e Xanto, alato Pegaso, fino a qualche paradiso lontano. Un signore rozzo e frettoloso interruppe il nostro sogno, passando in fretta e urtandomi. Lei lo guardò con fiera rabbia e stava per dire qualcosa, ma la fermai.

– Lascia perdere – dissi – un giorno magari toccherà anche a lui.

– Ci dovrai stare molto così?

– Non lo so – dissi.

– Anche a me è toccato da piccola. Un tuffo sbagliato in mare, mi ingessarono fino al collo e non sapevo se sarei riuscita ancora a camminare. Un anno intero.

– Poi è tutto passato – dissi io – e adesso puoi camminare e ballare divinamente.

– Sì, mi piace ballare, ma come lo sai?

– Lo so perché balli anche adesso. Quando ti sei chinata a raccogliere il libro, e adesso che mi stai davanti con una punta del piede un po' sollevata, come se stessi aspettando l'attacco dell'orchestra. Per ballare con me.

– Accidenti, come corri...

– Succede, quando sei su una sedia a rotelle.

Restarono un po' in silenzio ma senza alcun imbarazzo, fra il trillare della cassa e lo sfogliare dei bibliofili. Poi dissi:

– Posso regalarti questo libro?

– Sylvia Plath? Ti offendi se ti dico che ce l'ho già?

– Allora Apollinaire.

– Grazie. Accetto.

– E tu potresti scrivere il tuo numero di telefono su questo libro?

– *La mia amica otaria*?

– Me lo sono ritrovato tra le mani. Sono confuso, indovina perché.

– Se ti do il mio numero di telefono, mi prometti che non mi chiami prima di un anno?

– Perché?

– Perché così sarei tranquilla, saprei che non sei uno che dimentichi. Un olvidador professionista.

– Ti telefono appena mi alzo da questo trabiccolo, e andiamo a festeggiare la mia ritrovata verticalità.

– Va bene – disse lei. E scrisse sette numeri.

I numeri sono uguali in tutto il mondo, lo ordinano, lo limitano, lo descrivono. Eppure quella sequenza di numeri, quell'unica rara sequenza separava per me un mondo dall'altro e una vita dall'altra, con quei sette numeri ero l'unico e fortunato vincitore di una possibile storia d'amore, senza quei numeri ogni equilibrio e teoria, ogni legge fisica, ogni orbita e gravità si sarebbe annichilito e il cosmo si sarebbe dissolto in una manciata di polvere e nel buio primordiale della mia solitudine. Ma io avevo quei numeri. Lei dovette intuire qualcosa dei miei pensieri.

– Posso avere anche io i tuoi numeri magici? – disse.

Pilar mi vida. Tutti i numeri dall'inizio del mondo, dallo zero che ci generò.

CAPITOLO DIECI

Ulisse arrivò puntualissimo. La madre gli aprì senza una parola, ma con un lieve sorriso. Non lo accompagnò. Ulisse andò da solo alla porta di Achille e bussò. Quando sentì suonare due volte il campanello, entrò. Achille gli venne incontro, sulla sedia dal motore ronzante, gli girò intorno descrivendo una specie di otto e indicò la solita poltroncina. Poi prese posto davanti al computer, e tirò a sé la tastiera... Era avvolto nella solita vestaglia, ma stavolta aveva delle babbucce da *Mille e una notte*, di velluto giallo. E un lieve aroma di eucalipto smorzava i pesanti odori della stanza. Le mani di Achille cominciarono a danzare.

Ricevuto il mio messaggio? Me la cavo al computer, la mia preistorica fantasia può godere di una tastiera speciale con scudo, e mouse trackball, questo che sembra un naso rosso da pagliaccio. So navigare nel pelago della Rete, ma mando pochissimi messaggi. E non rispondo alla posta. Anzi nessuno mi scrive.

– Io volevo parlarti delle pagine che mi hai mandato – disse Ulisse, eccitato. – Sono... molto belle ecco, non so dire di meglio, c'è qualcosa dentro che io ho sempre provato e non sono mai riuscito a...

Il dito di Achille si alzò.

Del libro parleremo alla fine. Adesso parlami di lei.

– E la sindrome di De Curtis?

Come tutte le sindromi maligne arriva quando non te l'a-spetti. Parlami di Pilar, perdio.

– Sì, ma prima voglio sapere due o tre cose anch'io. Come hai trovato la mail della casa editrice?

Se fossi più attento, sapresti che è scritta su tutti i libri che pubblicate.

– Allora tu... comunichi col mondo, in qualche modo.

Te l'ho detto. Qualche volta uso il pelago, per scovare testi rari. Non leggo i giornali, e la patria televisione l'ho vista per breve tempo, quando ero ricoverato in ospedale. È un luogo di malattia dove tutti parlano insieme, sovrapponendosi uno all'altro, oppure parlano e fingono di non ricordare ciò che hanno detto. Esattamente come nei manicomi. Ma lì non rischi l'elettrochoc, e ti pagano pure. Locus miser! Clinica di lusso, dove il conformismo festeggia l'impunità di definirsi trasgressione. Caserma di imboscati, camerateschi con i superiori, sadici con i deboli. Luogo di mostri gozzuti, condannati a copulare in eterno tra loro. Puzza di morte più della mia camera... Tu la guardi?

– Qualche volta sì. A volte serve.

È vero. Sublime vendetta delle parole, serve, ma non a te. Ma come rinunciare alla sua comodità? Una pozzanghera che riflette tutto il dolore del mondo, e che puoi asciugare in un attimo. Una grata di confessionale in casa tua, e dentro un prete in lustrini.

Ulisse scrollò le spalle. Lo sguardo dell'altro lo puntava ironico e crudele. Lo detestò per un istante.

– E quando navighi – disse con voce noncurante – non vai mai... insomma, ci sono dei siti con delle belle ragazze, degli inferni interessanti.

L'ho fatto una volta. Ma era un triste pasto per la mia smisurata fame, piccoli sogni a pagamento, uomini e donne paralizzati in pose sempre uguali, carne immobile. A me basta l'illustrazione di un'odalisca su un vecchio libro, uno sguardo da una foto, una calza a rete da un fumetto, le parole di un racconto. Il resto lo fanno i sogni. Sei un segaiolo da sito? Mi dispiace per te.

– No – mentì Ulisse – non mi piacciono queste cose. E dimmi, quando non abitavi in questa casa dove vivevi?

Da bambino vivevo in una città di mare, ma ho pochi ricordi. Un gran vento, finestre che sbattevano e stupide passeggiate in carrozzina in riva al mare. Un dottore simpatico e umano, con la faccia da cavallo. Allora muovevo le braccia un po' di più e soprattutto non avevo bisogno di tante medicine. Poi venimmo qui in città. Le mani e la testa diventarono sempre più pesanti. Nessuno riuscì a capire davvero cosa stava accadendo, ero mostruoso anche nella mia mostruosità. Tre operazioni al cranio, l'ultima disastrosa, uno sbaglio, un'infezione, o una vendetta di Zeus. Restai sei mesi in seminconscienza. Contro ogni parere dei luminari mi ripresi, se la parola ha qualche senso. Ma mia madre e mio padre erano consumati dalla pena. Lui una mattina lasciò a metà l'ultimo quadro, salì in terrazzo e si buttò giù. Da allora soltanto mia madre mi difende da Febo, dai medici, da tutti. Prima o poi venderanno la casa e mi chiuderanno in qualche clinica dove studiare le mie ultime convulsioni. Ma io volerò via, io, Achille pièveloce. E adesso basta. Parlami di Pilar.

– Va bene. Dunque, è una tipica bellezza latina e si chiama Pilar María Penelope. Soprannome Patinha, paperina. Padre cileno, madre colombiana. Il padre era un insegnante, desaparecido nel golpe, lei andò in Colombia e Canada, poi venne in Italia. Studia alla scuola d'Arte, dipinge e disegna stoffe. Ha ventisei anni e sta per laurearsi con una tesi sui murales. Sono tre anni che la fa e la disfa. Per pagarsi le tasse lavora allo Shop Eden, il grande magazzino vicino all'aeroporto. Ma l'hanno licenziata, e dal prossimo mese sarà disoccupata...

Molto interessante. Non posso sbadigliare, rischierei di rimanere con la bocca inchiodata. Il culo. Come ha il culo?

– Ha un culo bellissimo. Alto e fiero.

Nero vicino al buco?

– Sì, quasi viola. E quando balla, gli uomini diventano matti e le donne ancor di più per invidia e gelosia. Chiude gli occhi e comincia a muovere i fianchi.

Che musica le piace?

– Tutto, samba e salsa e tango e jazz ma anche musica dei gringos. Dylan, Jeff Buckley, Dave Matthews. E la classica. Il piano: Chopin, Satie.

E se pensi che la stai scopando, che musica ti viene in mente?

– Fammi pensare – disse Ulisse – non so, certe volte Caetano Veloso, o *Creuza de mä* di De André, oppure rock a tutto volume. In questo momento mi viene in mente un vecchio pezzo con cui abbiamo fatto l'amore la prima volta. Non credo che tu lo conosca, non è musica per te.

Prova a dirmi lo stesso il titolo.

– *I'm Only Human*, degli Human League.

I'm only human, of flesh and blood I'm made.

– Sai anche le parole a memoria?

La bocca di Achille, nella luce azzurra, sorrise, il sorriso raro di un gatto.

Ho trascorso ore a "scaricare" musica, orribile verbo, la musica è l'unica cosa di cui i miei libri sono gelosi.

– E che musica ti piace?

Le note. Ma non cambiare discorso, parliamo di Pilar. Qual è il suo vestito preferito? Lasciami indovinare. Un vestito azzurro.

– Beh, ne ha uno a fiori blu, leggero, estivo. Le piacciono molto anche i berretti di lana peruviani. Ma non tiene molto al vestire.

Allora non è adatta a un elegantone come me. Ti piacciono le donne truccate, anche volgari, con lingerie, reggicalze e calze nere?

– Sì, mi piacciono abbastanza.

Io credo invece che ti piacciano molto. Mi piacerebbe molto, una volta, vestirmi da donna. Con sottoveste, calze e una bella parrucca. Immagino che sarei uno spettacolo considerevole. Mi sentirei quasi bello. L'hai mai preso nel culo?

– No – disse Ulisse, irritato – ti diverte, vero, cambiare il tono della conversazione? Pensi che la tua volgarità abbia qualche scopo, qualche senso?

Queste cose non hanno bisogno di senso, come molte altre. Ma io non sono mai stato bambino, non ho potuto dire le parolacce insieme ai miei coetanei come te. O spiare dal buco della serratura la cuginetta che pisciava, o tirar giù le braghe agli amici. Ho sempre dovuto rotolarmi nello sporco dei miei pensieri, da solo. Dovrei rassegnarmi al mio muso da cane e masturbarmi in silenzio, nel buio e nascostamente. Mentre tu ami Pilar ma forse sbavi per qualche fighetta, mentre mio fratello Febo va a puttane e le porta in casa di nascosto, e il dottor Paride va a curare bambine a Bangkok. Sì, sono volgare. Se potessi, andrei con una donna, con un uomo, con qualsiasi cosa che non sia me stesso o questa sedia. Mi metterei nel culo uno di quei cazzi di gomma e girerei per la città dicendo: ragazzi ecco l'unica cosa che mi mancava, la coda. Io penso cose terribili e non posso farle. Tu puoi. Questo mi rende un tantino morboso.

– Scusa Achille, ma non è facile seguirti. Il tuo tempo lento in realtà è una vertigine. Uno si sente sempre sul punto di cadere, poi cade e si rialza.

Achille rovesciò la testa all'indietro, stirò il collo.

Deve essere bellissimo cadere. Non dalla sedia a rotelle o dal letto, ma rotolare su un prato, o tuffarsi in mare. O volare da una finestra come mio padre. Io non sono mai caduto.

Bussarono, la porta si aprì. Entrò la madre con un vassoio. Sopra c'erano due grandi bicchieri, dei salatini, dei dolci. Niente cozze, per fortuna.

Il mio bicchiere è quello con la cannuccia.

Achille rise. Guardò la madre e il suo volto si rasserenò. Con piccoli movimenti degli occhi e della bocca sembrava cercare altri lineamenti, il ricordo di un altro volto prima dello strazio, un calco nascosto da qualche parte. Ulisse iniziava a *capire* la faccia del suo strano ospite. I mutamenti dello sguardo sotto la fronte spropositata. L'aggrottarsi delle piccole sopracciglia, il dilatarsi delle nari per un'emozione che gli cambiava il respiro. L'irrigidirsi e rilassarsi della bocca, il digrignare, quel riso faticosissimo eppure contagioso. Non era un volto da statua classica, ma era un volto, diverso da ogni altro. E così doveva essere da tempo, per la madre, che gli sistemò un cuscino dietro il collo e il bicchiere tra le mani. Achille al terzo tentativo centrò la cannuccia e iniziò a sorbire rumorosamente. Con una mano cercò di scrivere qualcosa al computer, il bicchiere tenuto con l'altra mano si inclinò, Ulisse lo bloccò con gesto rapido.

Complimenti, pistolero.

– Achille ora fa' colazione e non parlare – disse la madre con preoccupata severità. Poi si rivolse a Ulisse, come se il figlio fosse ancora là nella stanza lontana, chiuso nel buio.
– Gli ho portato un frappé di frutta e verdura, l'unica cosa che manda giù ormai. Per lei Ulisse ho portato del succo d'arancia e se vuole, qualcosa da mangiare. Quando avete finito, chiamatemi.
Ulisse sentì in quel plurale "avete, chiamatemi", come il brillare di qualcosa, una scintilla di gioia. Non quando *hai* finito, figlio, ma quando *avete* finito: tu, figlio e questo strano intruso, chissà, amico.

Grazie mamma. Adesso fuori dai...

– Achille, ti prego – disse la madre. – Almeno davanti al signor Ulisse.

Fuori dai nostri discorsi da veri uomini.

La madre sorrise silenziosamente, silenziosamente svanì. Teti sul ciglio di un'onda.

Hai i genitori?

– No – disse Ulisse – i miei sono morti da parecchi anni. Erano gloriosi panettieri: mia madre ha fatto tanta sfoglia da avvolgere tre volte il globo. Mio padre ha visto più il fuoco del forno che la luce del sole. Mi hanno fatto studiare da intellettuale, volevano per me una vita migliore e diurna. Ho un fratello, fa il pizzaiolo all'estero, è un bel tipo ma non ci vediamo mai.

Anche Febo è un bel tipo. È un bellissimo prototipo di ruffianeria, di avidità criminale, di disprezzo del dolore, un eroe di questi tempi.

Il campanello della casa suonò. Achille ebbe uno scatto, il bicchiere finì per terra. Restò in silenzio ad aspettare, i muscoli del collo tremavano come percorsi da una scossa elettrica. Poi si calmò.

– Vuoi che chiami tua madre? – disse Ulisse. Il frappé era colato sulla vestaglia e in terra.

No. Non importa, ci sono abituato. Non riesco a sopportare rumori improvvisi né bagliori di luce. Temevo fosse il medico. Forse era il postino, quasi sempre riconosco il suo modo di suonare, oggi no.

– Hai mai provato a parlare con tuo fratello?

Adesso metto su un disco per calmarmi. È "The Protecting Veil" di Taverner. Te lo faccio copiare su dischetto, se ti piace.

Ascoltarono insieme. Poi Ulisse si mise a raccontare. Di Vesuvio e Circe ricciolibelli, di Stanzani e Olivetti, dei suoi impazienti scrittodattili. Achille ascoltò a occhi chiusi, poi iniziò a scuotere la testa, come se volesse svuotarla. Era molto pallido.

Non sto bene. Il campanello mi ha disturbato. E poi le tue parole, troppe storie, troppe facce in una volta. Devi andare via. Mi piacerebbe vederti domani, però telefona a mia madre, potrei non essermi ripreso. E devi portarmi una cosa.

– Una foto di Pilar?

Non ci avevo pensato, sì, è una buona perversa idea. Ma vorrei da te una lista di cose stupide che ti fanno star male. Quelle cose per cui non bisognerebbe arrabbiarsi ma poi ci si incazza e si fanno tragedie. Grandi dolori da niente.

– Tipo mordersi la lingua?

Per essere un bipede non rotellato, capisci in fretta. Ciao.

– Ciao. Posso darti la mano?

No. Ciao.

Ulisse scese lo scalone e si trovò davanti un'auto blu, che stava parcheggiando nel cortile. Ne scese un uomo elegante, un po' sovrappeso, coi capelli corti e gli occhi chiari.

Ulisse non ebbe dubbi: era Febo. E anche Febo riconobbe in Ulisse il "signore alto e spettinato" di cui gli aveva parlato l'infermiere Aiace. Nessuno sconosciuto scendeva mai da quello scalone. Camminarono uno incontro all'altro, e Ulisse inciampò un istante nella ghiaia. Febo gli si fece incontro e sorrise con garbo diplomatico.

– Sono il fratello di Achille – disse.

– Piacere. Ulisse Isolani.

– Lei deve essere il libraio di cui ha parlato mia madre. Mi fa piacere che mio fratello ogni tanto veda qualcuno. Con moderazione, si intende. I medici ci hanno consigliato di lasciarlo il più tranquillo possibile.

– Capisco.

– Mi fa piacere che capisca.

Ulisse si allontanò, sentendo lo sguardo dell'altro alle spalle. Salì sul motorino e partendo cercò di fare tutto il rumore possibile.

CAPITOLO UNDICI

La mattina presto Ulisse andò in questura, per informarsi sul permesso di Pilar. C'era una protesta di immigrati in odor di espulsione, alcuni erano rimasti in fila tutta la notte sotto la pioggia. Una sfilata di caffetani magrebini, giubbotti di cuoio polacchi e boxeur neri in tuta ginnica si rifletteva nelle eleganti vetrine del centro plutopolita, profanandole. Lingue astruse si mescolavano al patrio idioma, come strumenti tribali in un'orchestra di scelti violini. Gli agenti avevano il loro da fare, mandati a fanculo in dodici dialetti diversi, e anche nella fila fiorivano insulti e spinte. Su tutta questa babele un megafono stentoreo invitava a restare ordinati, poiché presto sarebbero stati distribuiti i numeri.

– Cos'è, l'estrazione del lotto? – gridò un'inconfondibile voce italica.

– Vergogna, poliziotti, mio nonno era emigrante e forse anche il vostro.

Erano Stanzani e Olivetti, felpe blu in mezzo alla casba colorata. Per proteggersi dalla pioggia avevano due baschetti della stessa misura, pur avendo capocce del tutto dissimili. Il basco di Stanzani era calato fino al naso, quello di Olivetti sembrava un coppolino cardinalizio.

– Ehilà compagni – disse Ulisse.

– Cosa ci fai tu in questura? – chiese subito con sospetto Olivetti.

– È per il permesso di Pilar.

– Smettila di veder spie dappertutto, Olivetti – ammonì Stanzani.

– Meglio tener gli occhi aperti – disse Olivetti e continuò a distribuire il volantino.

I lavoratori della Sipel solidali con i colleghi extracomunitari che rischiano l'espulsione.

La dizione esatta sarebbe stata: due operai della Sipel sono solidali con due operai polacchi. Ma la Sipel era piccola e la visione politica della coppia era ampia.

Vedendo l'omone calvo volantinare, due agenti lo avvicinarono per precisazioni.

– Scusi ma lei cosa c'entra qui? È extracomunitario?

– Et nafàza clapèr al tafanéri dun ninén.

– Marocchino? Algerino? Cosa? – insisté l'agente.

– Dla cirenaica almibèl ismè, duvlanòt labàt clavàca d'tumuièr.

– È della Cirenaica – disse l'agente uno.

– Non mi convince – disse l'agente due.

Proprio in quel momento scoppiarono turbolenze nella fila, una transenna fu travolta e i due agenti dovettero intervenire, sospendendo l'inchiesta Olivetti.

– Cosa gli ha detto? – chiese Ulisse.

– Tradotto in italiano suonerebbe circa così – disse Stanzani. – Prima frase: o uomo, il tuo volto mi ricorda le terga di un maiale. Seconda frase: o bello mio scarsamente intelligente, io vivo alla Cirenaica (noto quartiere cittadino), là dove la notte batte, ovverossia fa mercimonio di sé, quella vacca di tua moglie.

– Però – commentò Ulisse.

– Cosa credi, sono un poeta anch'io – disse Olivetti, sistemandosi il basco.

Il tumulto era momentaneamente placato, e i volantini erano finiti. Stanzani e Olivetti rimasero lì a scortare Ulisse e a occhieggiare ucraine. Finché l'agente sindacalizzato scrittodattilo Barbieri uscì di buon passo dall'ufficio passaporti. Prese da parte Ulisse e gli comunicò:

– Ho trovato la pratica. In effetti c'è un documento universitario palesemente falso, la ragazza voleva risultare iscritta quando non lo era. Se nessuno ci mette le mani, non succederà niente. Ma se qualcuno vuole fare la carogna, di questi tempi...

– E non puoi far sparire tutto? – dissulisse.

– Questo no – disse Barbieri. E spalancò le braccia come a dire, sono uno scrittodattilo, mica il Gran Maestro!

Così, per niente rassicurato, Ulisse andò in redazione. Il sarcofago ascensoriale era guasto, come avvisava apposito cartello. Salì a piedi. Circe ricciolibelli lo accolse con una minigonna ancor più insidiosa delle precedenti, e un surplus di rossetto. Interpretando tutto questo come un segnale di gradimento della femmina, l'Ulisse inscenò una danza di corteggiamento intorno alla scrivania e non avendo piume erettili o gozzo colorato, emise un verso caratteristico del maschio in calore.

– Ciiiiirce...

– Sì?

– Ogni volta che ti vedo mi fai fare certi pensieri...

– Quali? – disse la Circe.

– Lo sai bene, furbetta – dissulisse allungandosi sulla scrivania.

– Non sono mica una maga – si schermì Circe ricciolibelli.

– Beh... pensieri del tipo... hai presente il film *Seduzione pericolosa*?

– Oh sì – disse lei – quando scopano sulla fotocopiatrice?

Ulisse arrossò i bargigli, saltellò su un piede solo e aggirò la scrivania, deciso a impossessarsi di una o più cosce di Circe.

Ma il Fato non volle: entrò la padrona del palazzo, scarmigliata, inviperita e ferma nella sua assurda pretesa dell'affitto arretrato.

– C'è il signor Valerio?

– Non c'è – disse Circe – gliel'ho già detto al telefono.

– Ma insomma, è una presa in giro – berciò la padrona, e Ulisse svicolò, lasciando Circe in balia dell'avida affittuaria.

Non solo non voleva grane, ma doveva fare diverse importanti telefonate.

Con la prima parlò con la madre di Achille, e confermò l'appuntamento.

Con la seconda cercò Pilar, ma il cellulare era spento.

Con la terza si informò da un amico scrittodattilo sportivo su come stava il menisco di Mironi.

La quarta, ahimè, gli toccava di farla a Decio Bellone.

Decio Bellone, detto Decibel per la sua capacità di sormontare in volume la voce dei rivali e perciò richiestissimo nei tolksciò televisivi, dove recitava copioni assai trasgressivi pilotati dai moderatori-aizzatori, in modo che si insultassero accuratamente soltanto figure non governative, mentre all'entourage del Duce era riservata un'amicale ironia. Visto che nel mondo dei libri non sfondava e torme di abietti rivali lo sorpassavano, aveva trovato tra le accoglienti telecamere nuovi onori e cespiti, tanto da diventare onnipresente quale esperto di sessualità, oppure tifoso, oppure mascotte colto-letteraria o commentatore mondano. Ma Vulcano diceva: bisogna saper usare chi vuole usarti. Non riusciva poi a spiegare cosa intendeva dire, ma insomma voleva la firma di Decibel.

– *Sono Lello della casa editrice Forge, parlo con Bellone?*
– *Chi le ha dato questo numero?*
– *Il direttore della rete Unica Giacobbe.*
– *Dica pure.*
– *Stiamo preparando un'antologia di giovani scrittori massicciamente trasgressivi e abbiamo pensato che lei sarebbe adattissimo a fare la prefazione.*
– *Sono molto impegnato e poi sono sicuro che pagate poco.*
– *Ma faremo molta promozione.*
– *Avete in ballo qualcosa in televisione?*
– *Televisione? No.*
– *E allora perché chiamate me? Io sono uno scrittore.*
– *Cento milioni.*
– *Come ha detto?*

– *Ho detto, certo Bellone.*

– *Ma porca puttana troia bocchinara mi lasci tornare a dormire.*

– *Arrivederci.*

– *Arrivederci un cazzo.*

Clic.

– Io vado – disse Circe apparendo sulla porta, con un giaccotto coguarato aperto sulla minigonna e tacchi malandrini – domani Vulcano non c'è, sarò sola a sbrigare tutto...

Ulisse si infuocò ed eresse. Era o no un chiaro invito?

– Domattina passerò sicuramente – disse Ulisse – così parliamo di quel film.

– Chissà – disse la maga, e con un colpo di tacchetto magico sparì.

Ulisse si chiese allora: è giusto telefonare al proprio amore quando è in corso un'erezione causata da un'altra donna? Ma insomma, tale è la natura del poligamo politropo. Perciò chiamò Pilar Penelope Patinha.

Parlò di quel che aveva saputo del permesso di soggiorno, sottolineò quanto si era dato da fare e quanto avrebbe desiderato tenerla teneramente tra le braccia in varie posizioni, lei rispose che la mattina dopo ci sarebbe stato un incontro tra Shop Eden e truppe sindacali, e alla sera avrebbero potuto uscire insieme lui e lei. L'erezione cambiò responsabile.

– Cosa danzerai per me, anatrina mia? – chiese goloso.

– Salsa caraibica. Così poi ti cucino.

– Pilar, ti ricordi la prima volta che ci siamo incontrati in libreria? Beh, mi è venuto in mente che... eravamo come due bambini. Due bambini su una spiaggia.

– Mi sei piaciuto fin dal primo momento. Ciondolavi e ribaltavi tutto. Eri emozionato anche tu?

– Sì, e quando tu hai raccolto quel libro...

– Quale libro?

– No, mi sbaglio, è a me che è caduto di mano un libro per l'emozione, quando ti ho vista. Non te l'ho mai confessato, te lo dico adesso.

– Beh... a domani sera, allora.

– Cosa stai facendo Pilar, e come sei vestita? – chiese Ulisse.

– Sono fuori dall'entrata Due, in camice e ciabatte. C'è nebbia e sto dando da mangiare alle anatre in quello schifo di stagno artificiale.

– Io invece vedo... – dissulisse, scostando una tendina.

Vide, nel sottostante parcheggio, Circe che saliva sulla Microba esibendo calze a rete color fumo.

– Vedo i tristi abitanti di una triste città di un triste paese ma io sono allegro perché domani ti vedrò.

– Che ingiusta vicenda – disse la papera Didone, guardando Penelope che spegneva il telefonino e si pettinava – una così splendida creatura e quel tacchino poligamo che la prende in giro.

– Suvvia – disse la papera Onfale – è latina, intelligente e maggiorenne. Se la caverà.

– Speriamo che lui non se la cucini – disse Didone, becchettando bignè dalle mani di Penelope – questa storia mi fa incazzare e quando sono incazzata mangio troppo e mi si gonfia il fegato. E per le anatre il fegato gonfio vuol dire una sola cosa, lo sai?

– Le pâté? – opinò Onfale.

– C'est ça – disse Didone tristemente, e starnazzò guardando Penelope per avvertirla: ragazza, attenta ai Proci ma anche egli eroi.

– Non ho più bignè – disse la ragazza – brutta golosa!

Ulisse arrivò al palazzo del Crepa e al Laocoonte masochista non solo puntuale, ma in anticipo. Girò un po' intorno all'isolato, contando sedici bancomat e dodici scarpoteche. Rivide gli aperitivisti pietrificati davanti al bar. Poi notò in una bacheca "l'Organo", giornale della sinistra storica. Una volta quella testata occhieggiava da vari portici di quella città, ora quello era l'unico esemplare rimasto, gli altri erano confinati in periferia. Le solite notizie. Bombardamenti e guerre accuratamente impari, asimmetrici e militarmente vili. Piccoli virus irridenti l'onniscienza umana. Nel secondo ventennio italico, il Duce e la sua pattuglia acrobatica di avvocati impegnati a schivare altri processi, manifestazioni operaie ovunque, economia al tracollo.

La resa dei conti, pensò, e cercò la sola notizia che veramente lo angustiava, cioè le condizioni del menisco di Mironi, ma la pagina sportiva non c'era, o meglio era rivolta contro il muro e le era stata preferita la cronaca cittadina. Dove spiccava, inattesa, la foto di Febo, con la seguente didascalia.

Un nuovo presidente per i Giovani Imprenditori Celesti. Febo Pelagi aggiunge un altro successo alla sua rapida carriera politica. Il prossimo passo, secondo alcuni, potrebbe essere la candidatura parlamentare, nonché il consiglio d'amministrazione del Crepa, una delle più grandi banche patrie, al fianco del discusso cavalier Forco di cui è il pupillo.

Hai capito il giovane loggista, pensò Ulisse.

– Niente dietrismi – disse il professor Colantuono.

– Quale dietrismo. È tutto spudoratamente, illegalmente, arrogantemente davanti agli occhi. Non sono tempi di dietrismo ma di davantismo.

– Stia attento, è l'ora dell'appuntamento.

CAPITOLO DODICI

Trovò Aiace con un rasoio alla gola di Achille. Aveva appena finito di fargli la barba. Gli pulì il viso, prese gli attrezzi e si congedò con un sorriso frettoloso.

– Non sembra cattivo – disse Ulisse.

Lo è. Non quanto me, ma lo è. Mi hai portato la lista?

– Anche la foto.

La foto dopo, pregusto. Voglio la lista dei grandi dolori da niente.

– Me li sono segnati – disse Ulisse – vuoi leggerli? Ma sono scritti male, a mano.

Achille sobbalzò sulla sedia e il collo si tese all'indietro per la rabbia.

Uomo da poco! Cosa vuole dire male? Forse che le lettere non sono tutte uguali, incolonnate e obbedienti? Hai vocali che debordano, aste che decollano, scrittura che si inchina o si impenna, bordi panciuti, splendidi sgorbi e arabeschi megalomani? Hai la meravigliosa diversità di ogni lettera e parola? Questo è male per te?

– Non capisco – disse Ulisse.

Non capisci, sciocco? Io darei qualsiasi cosa per scrivere una sola parola con le mie mani, per poter fare a meno del computer. Ma se ci provo non so cosa mi succede, mi agito, mi blocco, tremo, buco il foglio e mi ferisco con la penna.

– Mi dispiace...

Vaffanculo, leggi.

– Va bene – disse Achille – te li leggo. Dunque:

Mordersi la lingua.
Farsi male radendosi.
Scordarsi il nome di un attore o un'attrice, e contagiare qualcuno in quell'angoscia.
Il telefonino che non prende il segnale.
Raccontar male una barzelletta in pubblico, e venir compatiti con un risolino forzato.
Farsi andare di traverso il caffè, l'uva, eccetera.
Prepararsi a una trionfale cagata sul water e trovare una turca scivolosa.
Vedere un conferenziere noioso che arrivato all'ultimo foglio ne tira fuori altri dieci.
L'autobus che è appena passato.
Il sole che va via da dove sei seduto.
Un vecchietto davanti a te nella fila che non capisce cosa gli dice il cassiere.
La tua squadra che perde nei minuti di recupero.
La confezione di cellophane o plastica che non si apre, sigillando tenacemente cracker, sigarette, cidì e soprattutto scatole di preservativi.
Un lavandino pieno di capelli fuggiti.
Un ricordo d'amore che torna da un cassetto.
Un allarme d'auto nel cuore della notte.

Gli ultimi due non sono da niente. Alcuni di questi dolori non li conosco. Ma mordersi la lingua e il cibo di traverso sì, a me va di traverso quasi tutto. Sul cagare potrei parlarti ore e ore, una conferenza. Non mi interesso di calcio, ma posso capire, mio padre era tifoso, quando ha smesso di ascoltare la partita alla radio ho capito che stava davvero male.

– Pensi spesso a lui?

Qualche volta. Aggiungiamo alla lista un mio grande dolore da niente. Vedi la mia sedia? Xanto è un modello modernissimo, tedesco, batteria 60 ampere, dieci chilometri all'ora. Vedi il joystick del comando? A volte per un movimento involontario lo tocco e Xanto impazzisce. Mi fa frullare intorno. Mi schiaccia contro il tavolo, mi inchioda al muro, mi sabota la lettura. Fa i dispetti.

– Ma perché ti interessano i grandi dolori da niente?

Sai cosa scriverei all'ingresso di una clinica, di un ospedale, di un ambulatorio? "Solo il dolore insegna cos'è la vita senza il dolore." Trovo straordinaria la quantità di energia che la gente utilizza per affrontare questi piccoli malesseri transitori. E la facilità che tutti hanno di chiudere gli occhi davanti ai grandi dolori indomabili. Non è una condanna, la mia. È piuttosto uno stupore. Come se voi camminaste su un mare infuocato di pena, sopra piccoli ponti barcollanti. E vi preoccupaste di chi passa prima, di chi vi sorpassa, di chi non vi saluta con la necessaria deferenza o gerarchia. Certo se guardaste sempre l'abisso ai vostri piedi non camminereste più. Ma almeno, rendetevi conto di dove siete, siate marinai. Rendetevi conto della vostra provvisoria e minacciata libertà che sarebbe felicità per uno come me. Ma forse, se io guarissi, dopo un mese sarei come tutti voi. Farei l'elemosina a uno su cento. Asciugherei il sangue del mondo con la mia carta di credito. Oppure soffrirei per seri motivi come Febo. Una volta gli rigarono la macchina e sembrava che gli avessero asportato un rene.

– Diciassettesimo dolore: restare senza benzina in motorino sotto la pioggia.

Diciottesimo dolore. Mai stato in motorino.

– Io non credo, Achille, che se tu guarissi diventeresti come tutti.

Chi può dirlo? Ho tutti i pezzi peggiori con cui è costruito l'uomo. Me ne manca qualcuno dei migliori. Ora fammi vedere la foto.

Ulisse gliela mise in grembo. Achille la prese nella mano destra e la portò con fatica vicino agli occhi, ma non abbastanza. Così sporse il collo per quanto poteva. La foto ritraeva Pilar col vestito azzurro, in riva al mare, i capelli scompigliati dal vento, le mani che trattenevano la sottana. Achille disse:

– Bella.

Aveva parlato. Una voce roca, un po' cavernosa. La sua voce.

– Hai parlato – disse Ulisse.

Non ci crederai, ma me ne sono accorto. Estaba en honor de Pilar.

– Puoi dire quello che vuoi.

Grazie, sei un vero uomo, maturo e non geloso. È nobile da parte tua permettere che un maniaco possa liberamente parlare della tua donna. È tipico delle razze più evolute che tra individui maschi si parli con la massima cameratesca disinvoltura delle proprie femmine, o di singole parti di esse...

– Basta prendermi in giro... – rise Ulisse alzando un dito.

Peccato che si tenga la sottana. Soffiate venti, soffiate! Deve avere delle belle gambe. E mi piace la sua bocca. Deve dare dei baci roventi. E i pompini naturalmente, anche se non sono un esperto, l'unica esperienza similare l'ho avuta con una mela. Non ci furono molti preliminari. Poi, come una mantide, me ne cibai. Dimmi, cosa succede quando la vuoi girare? mi capisci?

– Sei diventato timido?

Quando la scopi da dietro o la inculi o se c'è una terza possibilità dimmela, la giri tu o è lei che capisce, oppure forzi la situazione.

– Lei non è come Xanto – concesse Ulisse – non si gira a comando, ma se lo fa spontaneamente allora io perdo la testa. Ha un certo sguardo, in quei casi...

Achille muggì. Ulisse vide che si era messo le mani sull'uccello, un considerevole uccello, visto il rigonfio della vestaglia.

– Vado avanti?

Mi piacerebbe assai.

– Beh, una sera eravamo tornati dal mare, avevamo una casetta in Grecia. La nostra prima vacanza da soli. Eravamo stanchi e cotti dal sole, lei si spogliò nuda e si spalmò di crema, ha una pelle olivastra, qualche volta sembra d'oro, ma il sole brucia anche lei. Io ero eccitatissimo, le baciavo il collo, la schiena, e lei diceva no per favore, sono tutta scottata.

Achille ansimava.

– Allora io la lasciai in pace e ci sdraiammo sul letto, lei si girò. Era coperta solo con un asciugamano, io le vedevo la schiena e i fianchi, indovinavo il suo culo di ballerina... Credevo che dormisse. Poi d'improvviso.

Basta. Tocca a me raccontare.

– Ti fermi? Sei troppo eccitato?

Non è mai troppo. Non voglio andare fino in fondo. Non è che mi vergogni. È che devo andare avanti io con la mia perversa purissima fantasia. Possibile che tu non capisca?

– Forse. Posso farti una domanda... molto privata?

Sì, ho un uccello portentoso. Non sono mai riuscito a misurarlo, ma immagino che sia sopra la media. Un altro dono velenoso del Demiurgo. Sei invidioso? Noi maschietti prendiamo in giro le tette siliconate, ma pensa se qualcuno inventasse un raddoppiacazzi, o un cazzo a cannocchiale. Chi non si darebbe una ritoccatina? Io ad esempio se l'avessi più lungo potrei farlo scendere dalla finestra, strisciare lungo il muro con una piccola telecamera annodata per scegliere la preda, e sulla cappella metterei un biglietto con scritto: "Il mio padrone è timido, io no. Faccia di me quello che vuole".

Ulisse si mise a ridere così forte che ebbe paura di disturbare Achille. Ma anche lui rideva, col suo muggito asmatico.

– Oppure – disse Ulisse – potresti metterti in fila a una cassa e zac, fare uno spiedino erotico.

Sì. Oppure senti questa. Vado al ristorante, lo tiro fuori, lo passo sotto il tovagliolo e poi chiamo il cameriere e dico: "Signore è uno scandalo, c'è un cazzo nel mio brodo!".

– Oppure – disse Ulisse tra i singulti di riso – vai al cinema e se c'è davanti un'imponente signora con una gran pettinatura lo tiri fuori, glielo batti sulla spalla e dici...

Scusi signora ma non ci vedo un cazzo.

– Proprio... uhu, così. Sembriamo due bambini scemi.

Siamo due bambini scemi. Senti questa: se mi visitasse una bella dottoressa...

Si interruppe. Aveva sentito, molto prima di Ulisse, un rumore davanti alla porta. Entrò la madre. Sistemò la vestaglia di Achille, lo carezzò sulla testa.
– Vi ho sentiti ridere – disse – vi stavate divertendo?
– Molto signora – disse Ulisse – anche se non parlavamo proprio di filosofia.
Vide che la donna non riusciva a sorridere e teneva le mani serrate in grembo, proprio come il figlio.
– C'è il dottore – disse.
– No mamma – disse Achille, con voce roca e irosa, diversa da quella che Ulisse conosceva – non doveva venire oggi, doveva venire dopodomani.
– Può solo oggi.
– No – disse Achille, contraendo le dita delle mani, come dovesse schiacciare qualcosa. Il suo cuore o quello di un nemico.
– Ti prego, Achille – disse la madre – ti prego.
– Va bene – rispose Achille – ma lui resta.

La madre uscì. Tornò subito dopo con un signore elegante, abbronzatissimo, restauratissimo. Una tintura color dobermann gli scuriva i capelli. Un lifting malriuscito gli aveva ibernato il sorriso in una paresi. Un primario a prima vista. Si presentò.
– Dottor Paride Dardani, piacere. Allora Achille, dobbiamo fare una visita seria oggi. Sei calmo o vuoi fare prima l'iniezione?

Achille fece di no col capo. Era come se fosse regredito di vent'anni, si era ingobbito nella sedia, lo sguardo fisso. Quando il dottore si avvicinò, sembrò un animale sorpreso nella tana. Ma non ringhiava, né si difendeva. Aspettava. Il dottore gli provò la pressione, la pelle del braccio era piena di macchie. Il dottore controllò tre volte e guardò la madre come a dire: non ci siamo. Poi disse:

– Fai il bravo, Achille.

Puntò una pila negli occhi di Achille e li esaminò. Achille respirò più affannosamente.

– Non stai prendendo le medicine – disse con severità.

– Mi ammazzano – disse Achille – mi tolgono ogni forza.

– Ma sono necessarie – disse il medico con intonazione sacerdotale – credi che mi diverta a fartele prendere?

– Forse – disse Achille.

– Non fare il bambino – sbottò Dardani. – Le medicine sono necessarie, più di quel computer che ti stanca gli occhi, che usi troppo e se fosse per me lo butterei dalla finestra.

Se fosse per me io butterei lei dalla finestra.

La madre spense il computer, prese la mano del figlio e guardò Ulisse. Un invito ad allontanarsi.

– Io vado – disse Ulisse.

– No – gridò Achille, e la crisi iniziò. Mentre Ulisse era sulla soglia, entrò Aiace. Ulisse vide che aiutava il dottore a tener fermo Achille per l'iniezione. Sconvolto uscì dalla stanza, sbagliò direzione, finì in un'ampia cucina. Tornò indietro, nel salottino delle conchiglie. La madre lo raggiunse.

– Il dottor Dardani è un bravo dottore... – disse, come ripetesse un ordine.

– Ma Achille ne ha paura.

– E cosa posso farci? – disse lei, e si mise a piangere silenziosamente, senza un lamento o un singhiozzo, metà di lei moriva e l'altra cortesemente intratteneva l'ospite, aveva grande esperienza in questo. Si asciugò gli occhi e disse:

– Bisogna fidarsi di qualcuno. Ne abbiamo provati tanti, questo è quello che gli dà meno farmaci. È amico personale di Febo.

– Io sono l'ultimo arrivato, signora – disse Ulisse – ma è importante anche il rapporto che c'è col malato. E mi sembra...

Il dottor Dardani entrò, con un sorriso gelido. Aveva una mano sporca di sangue.

– L'ha morso? – disse la madre.

– Ci sono abituato.

– Vado a prendere dell'alcol.

Il dottore si sedette davanti a Ulisse. Lo guardò. Un anaconda abbronzato, pensò Ulisse e sostenne il suo sguardo. Tra loro corse una calda corrente di vudù.

– Di cosa stavate parlando quando ha avuto la crisi? – disse Dardani.

– Quando parlavamo, lui non ha avuto nessuna crisi.

– Allora quando la crisi si preparava.

– La crisi l'ha avuta durante la visita – disse tranquillo Ulisse – comunque parlavamo di donne.

Il dottor Dardani sospirò.

– Le parlerò molto chiaramente signor Ulisse. A me e a lei, credo, le donne piacciono molto, e in qualche modo l'idea di donna piace anche ad Achille. Con la differenza che a lui non fa bene parlare o pensare a certe cose. È nato idrocefalo ed è stato operato in ritardo, con complicazioni di ogni tipo. L'ultimo recente intervento ha disastrato il suo quadro clinico. Un quadro per molti aspetti misterioso, vista la gravità dei suoi sintomi e la sua parziale lucidità. Ma il suo equilibrio è fragile. Se si eccita e non prende le medicine, ha crisi cardiache ed epilettiche che possono ucciderlo da un momento all'altro. Mi sono spiegato?

– E cosa dovrebbe fare allora, dormire tutto il giorno?

– Sinceramente, in questa fase finale della malattia, non dovrebbe stare qui, ma in una clinica dove sarebbe meglio curato e seguito.

– Se va in clinica muore.

Ulisse udì alle sue spalle un fruscio di spire e cachemire.

– Lei conosce già Achille così bene da fare un'asserzione così grave? – esclamò una voce irosa.

Era Febo, e si mise di fianco a Dardani. Ora i serpenti erano due, un caduceo di nemici, bisognava essere vigili e astuti, Laocoonte insegnava.

– Achille me lo ha detto – replicò Ulisse.

– Dovrebbe essere così intelligente – disse Febo – da capire che mio fratello non è responsabile di quello che afferma. Non ho niente in contrario al fatto che veda persone. Ma se il risultato è questo...

– Non sono stato io a provocare la crisi – protestò Ulisse – la crisi è venuta quando il dottore lo ha visitato in quel modo.

– In quale modo? – esclamò il dottore. – E attento a come parla!

– Io credo che ad Achille non piaccia essere trattato come un rottame, e inoltre...

– Lei è medico? – lo interruppe Dardani, quasi urlando.

Ulisse pensò che bisognava cambiare strategia. Aveva visto in un documentario che i serpenti non si affrontano frontalmente. Gli si gira intorno e poi si afferra la testa.

– Il dottor Dardani le ha fatto una domanda, signor Ulisse – incalzò Febo – lei è medico?

– No, sono giornalista – disse il politropo Ulisse. Seguì un breve silenzio.

– Per che giornale?

– Per molti giornali.

Febo e il dottore si guardarono.

– Non credo sia il caso di mettersi a litigare – disse Febo sospirando – lei ha evidentemente compassione di mio fratello.

– Nessuna compassione. Suo fratello è una persona intelligente con cui è molto piacevole stare.

– A lei piace stare con Achille e questo le fa onore. Ma anche noi stiamo con Achille, da trent'anni, mio padre ci è morto e mia madre ci si è consumata. Di me non voglio parlare. Perciò le chiediamo di rispettare quello che abbiamo fatto.

Lo abbiamo curato. Ma sta peggiorando e come lei avrà capito, non ha molto da vivere.

– Il suo declino è irreversibile – disse il dottore – e non si tratta di un mal di denti.

Un grande dolore da niente, pensò Ulisse. Vide la madre, sulla soglia, con l'alcol e l'ovatta.

– Allora cosa dovrei fare? – disse Ulisse con voce umile.

– Lei non deve più venire – disse secco Febo.

– Il signore verrà tutte le volte che Achille lo vorrà e sarà in grado di vederlo – disse la madre. A Ulisse sembrò che fosse diventata dritta come una spada.

– Ma, mamma...

– Voi lo conoscete bene, ma non quanto me. Non è Ulisse la causa della crisi.

– Va bene mamma – disse Febo con stizza infantile – ma non puoi chiudere gli occhi sulla realtà, Achille sta peggiorando e ha bisogno di essere ricoverato.

– Tuo fratello sa di cosa ha bisogno. Scusatemi, torno da lui.

Gli anaconda si guardarono per elaborare telepaticamente una strategia comune. Ma Ofiocide Odisseo elaborava a sua volta.

– Per amore di mia madre chiudo la polemica – sospirò Febo – ma le ripeto che mio fratello starebbe meglio in una clinica.

– Non lo escludo – disse Ulisse con voce di miele – penso solo che bisognerebbe convincerlo gradatamente.

Gli anaconda si torsero a guardarsi, poi lo fissarono.

– Vedo che lei è ragionevole – disse il dottor Dardani, recuperando baldanza e perfino abbronzatura.

– Voi conoscete meglio di me la situazione – aggiunse Ulisse.

– Proprio così – disse Febo – e anche se mia madre è la donna più buona del mondo, lei è un ostacolo. Paradossalmente lo ucciderebbe, pur di tenerlo qui ancora. Lui è la sua ragione di vita.

– Nella mia clinica – disse il medico – sarebbe sedato ad hoc.

– Prego, sta parlando a un profano.

– Calmato con dosi adeguate, seguito giorno per giorno. Non potrebbe tenere il computer, ma potrebbe guardare la televisione. Potrebbe avere qualche libro, e naturalmente una camera singola e un infermiere a disposizione, magari Aiace che lo conosce bene.

– E qual è questa clinica? – chiese Ulisse.

– Villa Padana.

– Me ne hanno parlato molto bene.

– Beh, visto che abbiamo chiarito questa incresciosa situazione – disse Dardani increspando la paresi in un sorriso – e dato che abbiamo in comune l'affetto per Achille, chiedo la sua collaborazione. Ci aiuti a convincerlo che in clinica starà meglio.

– Potrà andarlo a trovare quando vuole – aggiunse Febo.

Ulisse restò con lo sguardo nel vuoto.

– A cosa sta pensando? Non è convinto?

Ulisse pensava a queste otto battute di dialogo:

Febo – Se lei ci aiuta sarò lieto di presentarla ai fratelli della Loggia e chiedere la sua iscrizione come apprendista muratorino.

Il dottore – Se lei viene nella mia clinica, trapiantiamo capelli veri, potrei ridarle la sua antica chioma.

Febo – E se venderemo la casa alla banca potrei darle duemila euro di pizzo.

Il dottore – Rifacciamo nasi, culi, scroti.

Febo – Tremila euro e un posto in banca per una tipica bellezza latina.

Il dottore – ... Tac in giornata, impianti dentari in marmo pario, lifting, peeling.

Febo – E se poi da muratorino lei volesse diventare capomastro, o venerabile di quarta categoria...

Il dottore – E se al professor Colantuono servisse del Viagra...

Le otto battute di dialogo virtuali vennero sostituite da queste:

Ulisse (sospirando) – Pensavo che il destino dà poco a molti e molto a pochi.

Febo – Parole sante. Per che giornale scrive?

Ulisse – Per molti, le ho detto.

Il dottore (sospirando a sua volta) – Recentemente sono stato a Bangkok per un congresso neuroinfantile e non sa la miseria che ho visto. Bambine pronte a tutto per pochi soldi, orribile! Con questo non voglio dire che Achille sia fortunato, ma almeno è curato bene.

Ulisse – Bisogna sempre guardarsi dietro.

Febo – Giusto. Così ci si salva anche il culo (risata).

Il dottore – A proposito di culo. Se viene nella mia clinica, ho una nuova infermiera veneta con un culo che parla.

Ulisse – In veneto?

Febo e il dottore (ridendo a canone) – Aha aha aha, buona questa.

Dalla tragedia alla farsa, come repente cambia il copione del mondo! Entrò la madre.

– Vedo che tutto si è risolto – disse con voce per niente stupita.

– Sì, mamma – disse Febo, alzando le spire dal divano – non aspettarmi, faccio tardi stasera. E mi raccomando la cena di giovedì.

– Sarà una grande occasione, un grande lancio per Febo, se lo merita – disse il dottor Dardani – e io ci sarò.

– Dottor Ulisse – disse Febo porgendo la mano, cosa anomala per un serpente – magari una sera si potrà fermare a mangiare con noi. Intendo con me e il dottore.

– E parleremo in veneto – disse il dottore strizzando l'occhio.

E avvinti sparirono.

– Come sta Achille? – chiese Ulisse.

– Meglio – disse la madre guardando Ulisse con occhi indagatori. Poi scoppiò a ridere e gli batté una mano sulla spalla.

– Ho ascoltato di nascosto la conversazione. Lei è un serpente – disse – un vero astuto serpente.

– Ma cosa dice, signora.

– Non si illuda, però. Scopriranno presto che lei è un ostacolo. Febo è un bravo ragazzo, ma è troppo ambizioso, e pensa che Achille sia un freno alla sua carriera. Andrà fino in fondo. Non so cosa potremo fare.

– Qualcosa faremo. Dica ad Achille che torno quando vuole.

– Mi ha detto che la aspetta domani all'una, a pranzo. Puntuale. Perché ha detto che la vita del puntuale è... un tormento di solitudini ingiuste. Così ha detto, poverino.

– Gli dica che verrò.

Ulisse scese gli scalini a due a due, orgoglioso di aver momentaneamente vinto la battaglia con gli anaconda. Altre prove lo aspettavano, ma lui si sentiva stranamente forte. Sì, Achille gli dava forza, ecco. La forza di opporsi a qualcosa di cupo e mortifero, come da tempo non vedeva così chiaramente. Aveva meno certezze, meno risposte ma Achille... gli aveva regalato delle nuove domande, ecco. Domande importanti.

– Cos'è il Viagra? – chiese il professor Colantuono.

CAPITOLO TREDICI

Da: musomania@liber.it
A: forgedit.lello@liber.it

Lello fece un sogno quella notte. Era in Grecia, la prima vacanza con Pilar. Una piccola isola. Forse quella dove aveva visto Calipso dalle belle trecce cantare al telaio, in un'altra vita. In questa vita era immobile sul letto: per le scottature del sole poteva muovere solo le mani e la testa. Tutto il resto gli doleva. Vicino a lui, seduta sul letto, stava Pilar. Pilar dalle spalle dorate, coperta di un peplo arancio. Fiore selvatico, Venere scontrosa che gli aveva voltato le spalle, ma il cui volto assopito era ancor più bello, perché immaginato. Il vento sbatteva le persiane, facendo entrare lo strepito di un mare furioso. Dopo una giornata di maestrale, si era alzato un caldo vento di scirocco, e il suo mantice rovente toglieva forze e sonno. Lello teneva gli occhi chiusi e sentiva il sudore colargli sulla fronte, sul collo, sull'inguine. Non fece nulla per asciugarsi. Ma sentì un fruscio di lenzuola, e la bocca di Pilar improvvisamente si avventurò curiosa sul suo corpo e si mise a leccare le goccioline di sudore, una per una. Le labbra seguirono la traccia umida di una stilla, dal collo fino al petto e poi all'inguine, affondarono nella foresta del pube, si posarono sul suo glande, iniziarono ad avvolgerlo con lenta, tormentosa avidità.

– Sei salato – disse Pilar.

– Sei dolce – disse Lello, con voce arrochita dal vento del pomeriggio.

Lei gli salì sopra con un movimento da ballerina, e si specchiò in lui. Poi si sdraiò guancia contro guancia, come quando nel tango i danzatori si allineano e uniscono le mani, non più sfida di profili, ma unione di sguardi verso lo stesso punto che li attira e li spaventa, il punto più alto di tutti gli amori, l'unione perfetta che già contiene battaglia e resa, e da cui riparte la danza uno contro l'altro, la sfida del labirinto e della geometria del tango.

Pilar si fermò in quel punto magico e provvisorio, poi si girò lentamente e inarcò la schiena sul petto di lui, sparse i capelli sul suo viso, aderì con le natiche al suo inguine, con le cosce tiepide alle sue gambe immobili. E guidò il suo sesso a farsi penetrare senza che Lello facesse un solo movimento, senza guardarlo, senza parlare. E mentre lei iniziava a muoversi, Lello immaginava la sua bocca schiudersi respirando l'odore del mare e del loro sudore, oppure sognare nella penombra il volto dell'amante invisibile, forse di un dio segreto, di un mostro marino che da dietro la possedeva, con movimenti che da lenti diventarono più rapidi, come un'alga di mare dentro una corrente improvvisa, un'alga dorata che ogni sussulto di onda scompiglia, rallentando e scattando, come la misteriosa febbre che unisce e separa improvvisamente uno sciame di pesci, entrando in lui, abbandonandolo e riprendendolo in fondo, più in fondo, finché si misero a gemere, lui e lei, con quei suoni così ridicoli, animaleschi e sempre uguali, se vissuti in solitudine, o nel buio di un cinema, o in un frettoloso amplesso. Ma ora, nel sibilo dello scirocco, diventarono una canzone indimenticabile, lei gridò e si inarcò nuovamente come ferita a morte, lui mosse le mani, a stringerle e graffiarle i fianchi. E così rimasero sudati, scottati, stremati. Lei si alzò nel buio, bevve un bicchier d'acqua a lunghi sorsi e disse: – Ti ho sorpreso?

– Sì – disse lui – ma non riesco a dirti niente.

Non riesco a dirti niente. E a scrivere niente. E non riesco neanche a dormire, aveva pensato Ulisse, uscendo nel buio. Quella mattina si era svegliato addirittura alle cinque. Aveva attraversato una città grigia e silenziosa come un cimitero. Si era seduto su una panchina a occhi chiusi, e si era lasciato avvolgere dai rumori, passi e rombare d'auto, saracinesche e voci, una sirena lamentosa, le ingiurie di un ubriaco, il singhiozzo di un piccione depresso. Quando aveva aperto gli occhi, l'orologio digitale della banca davanti a lui indicava le 8 e 03. Era salito a piedi in redazione, aveva aperto la posta elettronica e trovato due messaggi. Il primo era il brano di Achille, la scena d'amore con Pilar che aveva appena letto col fiato sospeso. Il secondo messaggio era di Vulcano:

Da: gastroclub@titan.it
A: forgedit.lello@liber.it

Caro Lello. Ti scrivo dal congresso editori gastronomi e ho buone notizie per il paese e per te. Mi ha detto un giornalista bene informato su queste cose, che il Duce ha già pronto un aereo per scappare, nel caso la situazione precipitasse. Inoltre ho conosciuto a una degustazione di vini il padrone di una grossa casa editrice che piace a me e anche a te. Degustando a tutto andare mi ha detto che ha letto il tuo primo libro e lo ha trovato ironico e carino (so che questo aggettivo ti manda in bestia ma riferisco) e sarebbe interessato a vedere una tua eventuale seconda opera. Così anche tu mi mollerai, come Arturo... Ma ho anche un'altra offerta. Un editore grossissimo che pubblica libri-strenna per le banche, tirature da trentamila copie, non storcere le tue ideologiche narici! Stasera ne discuteremo in una cena di lavoro. Non si fa altro qui che parlare e mangiare o tutte e due le cose insieme. Ieri siamo stati alla cena di Sagittarius, la casa editrice di testi new age. C'erano tortelli alla santoreggia biologica, pasticcio di grano kamut, arista di maiale guru e frutta del giardino delle Esperidi. Scherzo. Della gran soia, tanto che poi io e quelli di Aragosta siamo andati ad abbrutirci di fagioli roventi in una tipica taverna locale. Tornerò domani.

Hai telefonato a Bellone? Se no, prova con Malaora. Un saluto dal tuo Valeriuccio.

Grandi editori, mangiate e bevute, commerci e mercimonio di libri. Ma a Ulisse tutto questo non faceva più nessun effetto. Non pensava più al secondo libro, e trascurava i suoi scrittodattili. Quello che gli interessava era capire il segreto di Achille, il tempo della sua scrittura, il luogo oscuro e nascosto che lui cercava. Il pane caldo di ogni idea e racconto e sogno. Il luogo in cui era nata la scena d'amore tra Lello e Pilar. Un'isola da scoprire, e a cui tornare, a cui essere fedeli.

– Già qui a quest'ora? – disse Circe apparendo sulla porta. Aveva la minigonna aderente zebrata, i riccioli belli e un rossetto rosa confetto. Pilar era un'altra cosa. Ma Ulisse, dannazione, eresse.

– Non riesco a dormire molto, ultimamente.

– È colpa mia?

– Un po'.

– Vado a scrivere una lettera. Poi mi aiuti a cercare una cosa in magazzino, Lello?

No, no e poi no, pensò Ulisse. Ti resisterò, maga maledetta. Stasera terrò Pilar dalle spalle dorate tra le braccia. Te lo giuro, resisterò alle tue arti e ai tuoi cosmetici. Devo telefonare subito a Penelope.

– Amore, sono io – tubò.

– Scusa Ulisse se non ho chiamato, ma stiamo aspettando l'esito dell'incontro tra sindacati e Shop. Comunque ho deciso: stasera vado a ballare al Dedalus. Elena ha portato una mia foto al proprietario e mi hanno preso subito. Mi danno trecento euro, è lo stipendio di mezzo mese, non posso rinunciare. Se vieni anche tu mi fai felice. Lo so che ti fa incazzare. Ma dopo ballerò per te.

– Che razza di locale è il Dedalus?

– Vieni e vedrai.

– Non lo so – disse Ulisse – sono... arrabbiato, ecco lo capisci benissimo.

– Non posso più restare al telefono, è il mio turno alla cassa. Ti prego non fare il geloso, cabrón, vieni.

Ulisse deluso per la telefonata assai diversa da come l'aveva immaginata, preso da un attacco d'ira, tirò un calcio alla sedia che non solo resistette, ma gli restituì una legnata al malleolo. Ennesimo piccolo grande dolore. Pilar, paperina mia, grande troia, come puoi pensare che io sia contento di vedere un migliaio di Proci assatanati attorno al tuo tipico deretano latino? È mai possibile che tu non capisca quale privilegio è vivere in miseria vicino a un uomo come me? Ma io sarò superiore a tutto, Penelope. E non mi comporterò meschinamente. Verrò, soffrirò e sarò al tuo fianco, sotto al tuo cubo. Ma ora sono molto eccitato. Il messaggio di Achille, la tua voce, e la minigonna zebrata di Circe. Tu ti fidi di me, vero? Sai che non mi vendicherei mai, se tu facessi troppo l'indipendente, ma la pazienza ha un limite Penelope, e poi non dare la colpa a me, la colpa è tua Penelope se adesso è entrata Circe ricciolibelli e mi guarda e dice che deve cercare la vecchia stampante nel magazzino perché la nuova si è rotta, a volte le cose si rompono e si sostituiscono, magari poi rimpiangerai la vecchia stampante o la vecchia amante, ma quando uno è poligamo e politropo, e si sente accerchiato dai Proci, cosa fa? Sai cosa fa l'uomo quando ha paura che la sua donna non gli sia fedele? Ebbene, diventa infedele. È un mistero su cui da secoli indagano filosofi, civilisti, sessuologi, criminologi senza venirne a capo.

– Allora mi dai una mano o no? – disse Circe.

– Anche due – dissulisse.

Entrarono nel magazzino. Una fioca luce illuminava pile di carte, di rese, di invenduti, di parole sprecate. Una vecchia rivista che non si stampava più. Una vecchia fotocopiatrice che non copiava più. E scrittodattili, pile di fogli dimenticati da cui venne uno stridio di voci disperate, un coro di preghiere. Diteci che non ci avete condannati, che ci rileggerete, legga me, no legga me, la prego ci tolga da questo buio e da questa polvere.

– Zitti – disse il professor Colantuono – il signor Ulisse ha di meglio da fare.

– Proprio tu dici così? – mormorò una vocina da una scansia.

– Chi è lei?

– Sono Colantuono uno, la tua prima stesura. *Diario di un maestro onesto*, che hai poi riciclato come nuova. Sarebbe bello se io dicessi a Ulisse che qualcuno ti ha già letto e scartato dieci anni fa.

– No – disse Colantuono due – non tradirmi. E poi ho riscritto tutto.

– La stampante è lassù in cima – disse Circe – salgo sulla scaletta, me la tieni?

– Te la tengo, te la tengo – dissulisse.

Circe salì il primo scalino. Polpacci un po' forti, ma proporzionati. Secondo scalino: calze a rete autoreggenti. Terzo scalino: mutandine minuscole, nere, omicide. Ulisse infilò la mano e iniziò a carezzare.

– Ma cosa fai, sei matto? – disse naturalmente Circe.

– *Seduzione pericolosa*, primo tempo.

– Veramente era lui che saliva la scala e lei che lo toccava.

– La vita non è un film – disse Ulisse. La tirò giù a forza e la baciò in bocca con violenza, spingendola verso la fotocopiatrice, ribaltando una pila di riviste innocenti. Lei non resisteva. Lui tutto sbavato di rossetto, eccitato come un orango, afferrò le mutandine e cercò di levargliele, ma restò impigliato.

– Me le tolgo io – disse Circe – che fretta!

– Mi fai perdere la testa – buttò lì Ulisse, poi prese la testa di lei e la indirizzò verso i suoi pantaloni ma lei si divincolò e si sdraiò sulla fotocopiatrice a gambe aperte. Non disse nulla del tipo: prendimi fotocopiami scopami, ma Ulisse che era furbo capì. Tirò fuori dalla tasca della giacca un'aspirina e un preservativo. Al momento era più utile il secondo, che infilò con destrezza.

– Ma se era intenzionato a resistere perché si è portato il preservativo da casa? – chiese Colantuono.

– Era per stasera – disse Ulisse. Poi prese Circe, le sollevò le gambe e la infilzò.

– Sì – disse Circe con sintetica passionalità.

Ulisse cominciò a scoparla con sollecitudine, guardando le labbra rosa confetto spalancate, ma qualcosa dell'accecamento erotico iniziale stava svanendo, lasciando il posto ai particolari intorno. Una ragnatela in uno schedario, una foto di Conrad, una rivista che conteneva un suo vecchio articolo contro i premi letterari.

– Ancora – disse Circe.

Non intendeva che Ulisse avrebbe dovuto *ancora* scrivere articoli contro i premi letterari, ma che doveva *ancora* continuare a impegnarsi.

Scattò una fantasia: a ogni colpo di uccello, come a un premere di tasto, Circe veniva fotocopiata, vale a dire nasceva una nuova insaziabile Circe e il magazzino diventava un raduno di Circi, un bus pieno di Circi che lo solleticavano, si sfregavano e chiedevano prestazioni. Ulisse aumentò i giri.

– No – disse Circe – aspetta.

Nuova fantasia: lei si alza, torna in ufficio, risponde al telefono senza mutande, sbriga la corrispondenza, parla con la locataria e intanto lui chiuso nello sgabuzzino, in piedi a cazzo dritto, *aspetta.* Ma Circe prese a muoversi come un'indemoniata e Ulisse venne all'istante. Simulò una prosecuzione dell'erezione, ma il pene franò.

– Oh – disse lei. Che poteva voler dire molte cose.

Ma l'astuto Ulisse conosceva molti trucchi tramandati nel tempo. Perciò si chinò in una posizione assai scomoda e stroncatrice di cervicali, ma necessaria al suo progetto, quindi si mise a leccare la topa della maga con grande vigore.

– Sei un maiale – disse lei, gradendo.

Altra fantasia: torna Vulcano, trova tre Circi fotocopiate e scarmigliate senza mutande. Una, l'originale, gli mostra un maiale riverso per terra, rantolante. Non so cosa gli è successo, dice Circe, stavamo scopando e si è bloccato strillando, forse un colpo della strega. Non si alza più. Tanto vale abbatterlo dice Vulcano. Chiamiamo la polizia veterinaria, ed ecco risuonare la sirena della polizia.

Non era la sirena della polizia. Era Circe che finalmente arrivava ululando lì dove anche Ulisse era arrivato, o venuto o tornato.

Adesso cosa diavolo le dico, pensò Ulisse, qualche frase di circostanza? La devo baciare, magari...

– Niente male – disse Circe, si rimise gli slip, gli diede un bacetto fraterno su una guancia e tornò ai suoi compiti.

Tutto qui? pensò Ulisse. Sì, sembrava che fosse tutto lì. Una videocassetta porno che usciva con uno scatto dal registratore. Il re dell'hardcore Ulisse si tolse il preservativo, tirò su i pantaloni, si intristì come al solito e pensò: potevo anche non farlo ma ormai l'ho fatto ed è fatta; che vuoi farci? Buttò il preservativo nel water, ma l'abietto gommoso resistette tre volte allo sciacquone, e ogni volta tornava su dicendo.

– È inutile. Sono il tuo rimorso.

Ulisse lo piombò di carta e lo eliminò nel gorgo. Poi rientrò in ufficio. Circe gli rivolse un sorriso di circostanza. Gli pareva meno bella, ma nemmeno immaginava quanto a lei sembrava meno bello lui. Mai più pensò, mai più, mi ha usato, ci siamo usati. Succede.

Crollò sulla poltrona di Vesuvio stremato e il morbo del fornaio lo azzannò all'ipotalamo. Si addormentò. Sognò Foxfirst Fantomas che trombava una tapiressa in una nube di farina.

Quando si svegliò, l'ufficio era deserto, Circe era sparita, senza neanche salutarlo. Aveva la bocca impastata e un vago malessere alla prostata. Guardò l'orologio: era l'una e tre quarti.

– Troia – disse infilandosi la giacca, perché con qualcuno doveva prendersela – mi ha fatto tardare all'appuntamento, troia lei, e anche Penelope con quella telefonata, è stata una pornocongiura contro di me. La colpa di tutto questo è... mia, mia, mia – ripeteva facendo zigzagare e ruggire draghetto Tanaka nel traffico cittadino.

CAPITOLO QUATTORDICI

Arrivò trafelato dopo aver salito di corsa lo scalone. La madre lo accolse con uno sguardo preoccupato.

– È stato un po' in ansia – disse – ma ora si calmerà.

Bussarono alla porta. Nessuna risposta. Bussarono ancora e stavolta si udirono le due scampanellate.

Quando Ulisse entrò, Achille stava già davanti al computer, nel fumo di una candela rossa. Era spettinato, con uno scialle sulle gambe e la vestaglia aperta sulle clavicole puntute. Il magro petto era segnato da macchie e graffi. Nella stanza c'era cattivo odore.

– Scusami Achille – disse Ulisse, sedendosi sulla poltroncina con voce compunta – il motorino mi ha lasciato senza benzina.

Un grande dolore da niente.

– E poi stamattina... dobbiamo dirci tutto, no? Beh ricordi quando ti ho parlato di quella ragazza dell'ufficio...

Non dobbiamo dirci tutto. Hai ritardato, tutto qui, nessun problema. Solo un po' di solitudine immeritata.

– Ho letto la pagina sull'amore tra Lello e Pilar.

Non voglio parlarne. Discuteremo dei miei capolavori alla fine.

– Achille, capisco che sei arrabbiato. Ma allora è inutile che io resti qui.

Non sai nulla di me. Né come mi arrabbio, né come la mia malattia di puntuale possa avvelenare ogni appuntamento. E neanche sai che sono capace di riderci su, e dimenticare. Credi che io sia solo rabbia, spasmi ed epilessia? Credi che non sappia perdonare piccoli e grandi peccati? Io che sono nato da una vendetta degli dèi, dovrei essere vendicativo come loro? Coraggio, o mio sodale. Beviamo insieme.

Ulisse vide i due grandi bicchieri sulla tavola.

– Il mio è quello senza cannuccia – disse sorridendo.

Achille rispose al suo sorriso ma Ulisse era inquieto. Il volto dell'altro era diverso dal solito, era come se di nuovo Ulisse non riuscisse a capirne i lineamenti. Gli occhi erano socchiusi e quasi scomparivano sotto l'ombra della fronte sporgente. La bocca aveva una piega insolita e amara, e il collo magro, non coperto dalla vestaglia, sembrava quello di una tartaruga, o di un sauro preistorico. Achille sorbì lentamente tutto il frappé, facendone colare un po' ai lati della bocca, e da lì lungo la manica. Ulisse bevve il succo, che era zuccherosissimo. Achille ebbe un accesso di tosse, vomitò un sorso di frappé e Ulisse smise di guardarlo.

Mi trovi meno bello del solito?

– Dopo la prima volta sei tu e basta.

La tua faccia invece è peggiorata. C'era entrato dentro qualcosa del mio tempo e l'aveva resa nobile, da cavaliere antico. Adesso la fretta del tuo tempo, delle tue bugie, le corre sopra, la calpesta, le lascia sopra orme, rughe, infezioni. Sei malato, Ulisse, stai invecchiando in fretta. Quanti respiri ti restano?

Ulisse lo guardò. Achille spense la lampada sulla scrivania e restò illuminato solo dalla candela rossa. Ora il suo volto aveva davvero qualcosa di diabolico. Ulisse ebbe paura. E sentì anche un crampo allo stomaco, e un sudore freddo. Ecco da cosa voleva proteggerlo la madre di Achille. Cercò con gli occhi il campanello, ma non lo vide.

Mi hai deluso, amico mio. Certo, questa frase viene detta ogni giorno da milioni di persone, e si sa che niente ne seguirà. Nel tuo mondo tutti sono abituati a essere delusi e a dimenticare in fretta le delusioni. Nel mio tempo spietato no. Ti ricordi quello che ti dissi sul farmacon?

– Occidit qui non servet.

Qui non servat, ignorante. Ebbene, in quel succo di frutta che hai avidamente bevuto ho messo sei fiale di Medèn. È un farmacon molto forte, una fiala basta a fermare il mio furore, la tempesta del mio corpo, la ribellione dei miei nervi. Odio questa medicina, odio ogni volta che l'ho presa e che mi ha spento. Ma oggi è farmacon amico e complice. Una dose stenderebbe un uomo normale. Avrà su di te un effetto che nemmeno immagini. Anzitutto ti paralizzerà il respiro, poco per volta. Il tuo melodioso fiato cambierà musica, diventerà un rantolo. Capirai quanto ti era prezioso.

– Perché vuoi terrorizzarmi? – disse Ulisse, accorgendosi che faceva fatica a parlare. – Non è un bello scherzo.

Achille azionò Xanto, e venne vicinissimo a Ulisse seduto. Con una mano gli artigliò la coscia. Il suo volto si inclinò fino a toccare quello dell'altro e gli parlò nell'orecchio. Una voce bassa e spaventosa che Ulisse non aveva mai sentito prima. La voce di un pupazzo meccanico.

– Non voglio terrorizzarti né scherzare. Voglio ucciderti, come ti ho promesso la prima volta. Tra poco non potrai più muoverti. Sarai come me. Proverai cosa vuole dire non poter alzare le mani davanti alla faccia per parare uno schiaffo, non poter fuggire, non poter reagire. E quando sarai inerme ti ucciderò con questo.

Nell'altra mano di Achille, da sotto lo scialle, apparve un lungo tagliacarte di avorio.

– Non lo farai Achille – strascicò Ulisse con voce lenta e impastata – forse non ti rendi conto di quello che stai dicendo. Siamo diventati... quasi amici... non si uccide un amico per così poco.

Achille si staccò da lui, con la carrozzina travolse una sedia, cozzò contro il muro per girarsi, gli venne incontro col volto deformato dall'ira.

– Eravamo amici, sì. Eravamo uniti. Io te e Pilar su quel letto. Io amavo lei e lei amava te e tu amavi me ed eravamo insieme, tu raccontavi io scrivevo, c'era un patto tra di noi e lei voleva vivere con noi ogni ora del giorno. E adesso hai rovinato tutto. Per un attimo di eros miserabile hai perso l'eros che avvampa, che distrugge gli imperi e fa sguainare le spade. Per la tua misera vendetta di maschio adulto onnipotente, contro ciò che solo può cambiare, trasformare e far nascere. Odisseo, il tuo nome significa odiato. Ora che hai mostrato il tuo volto di mostro, dovrai conoscere il mio.

Ulisse sentì che stava per svenire, cercò di alzarsi ma non aveva più forze.

– Così tagliai la testa di Troilo – gridò Achille, sempre più delirando – così cercai di placare l'ira di Apollo. Così ti taglierò la gola e dal tuo sangue non nascerà nulla, né serpenti né libri. E sarà un piccolo delitto, in confronto a quello che hai commesso tradendo me, e Penelope e te stesso.

– Non puoi... farlo – disse Ulisse, mentre il volto di Achille si avvicinava di nuovo, ingrandito per effetto del farmaco, e sembrava occupare tutta la stanza, come un idolo pauroso.

Achille voleva parlare ancora, ma il grido gli aveva consumato la gola, e di nuovo parlò attraverso lo schermo.

Ti dissi di non parlare con nessuno delle tue visite in questa casa. L'hai fatto?

– No, te lo giuro.

Bene. Tu come gli altri. Nessuno sa che sei qui. Ora ti ucciderò, mia madre entrerà e laverà il sangue. Febo e Aiace porteranno via il tuo corpo. Come già altre volte. Quattro persone che si dicevano amiche e che mi tradirono. E mio padre, che scoprì tutto. Peleo, misero Peleo, lanciato giù dal terrazzo come un sacco di ossa da mio fratello.

– Non è vero.

Il dolore unisce le famiglie. Ricordi anni fa quando sparì quel vecchio filosofo, Graziani? Dissero che era scomparso, che era andato a fare il barbone. Non era vero. Aveva ricevuto una lettera gotica simile alla tua. Venne qui molte volte, poi disse che voleva cambiare città e ritirarsi a vivere in montagna a studiare. Non si abbandona un amico. E non mi ha abbandonato. È sepolto in giardino, con gli altri.

– Questo è un incubo – disse Ulisse. Un crampo gli torceva lo stomaco, il cuore batteva come un maglio. Nel buio della stanza vedeva un balletto di punti luminosi.

Non ti sveglierai da questo incubo, niente ti può salvare. Né chiedere perdono, né cercare di alzarti, la porta è chiusa a chiave. Puoi fare solo una cosa.

– Cosa... – disse quasi piangendo Ulisse e chiuse gli occhi.

– Andare a cagare – disse forte Achille.

Ulisse riaprì gli occhi. Achille stava guidando Xanto in una strana sarabanda tra sedie e scaffali. Gli tornò vicino e ridendo si rimise al computer.

– Achille, cosa vuoi dire? – balbettò Ulisse, madido di sudore.

Voglio dire che ti ho somministrato sei dosi di purga a contatto e venti gocce di valium. L'effetto, come vedi, è devastante. O trovi subito un bagno o sei perduto.

– E la fiala di Medèn? Il tagliacarte? Gli altri delitti?

Bugie nel tuo stile. Ho commesso un grande piccolo delitto, ti ho purgato a morte. Sono un bravo attore, vero? Avrei potuto essere un grande Calibano, un Quasimodo senza trucco. Invece mi devo accontentare di queste recite in famiglia.

– Mi hai preso in giro – disse Ulisse, non del tutto rassicurato – ma io sto male.

Un po' di mal di pancia, un po' di intontimento e la suggestione fa il resto. Trucchi da avanspettacolo e tagliacarte di plastica, ma quando ci si sente in colpa...

– Dov'è il bagno?

Achille scrisse con sadica lentezza.

Eccoci di nuovo pari. Entro meno di un minuto la natura avrà il suo corso. Se non trovi il bagno, cosa farai? Forse lorderai i miei libri? Potresti fuggire giù dallo scalone e tinteggiare di merda la macchina di Febo. Oppure ti cagherai nelle braghe,

come faccio io da anni. Vuoi un pannolone per adulti, un por-
nopannolone? Come ti senti? Non è uno straordinario piccolo
grande dolore?

– Aiuto – disse Ulisse alzandosi e tenendosi la pancia come dopo un harakiri.

Il bagno è là in fondo, dietro la scansia delle enciclopedie
c'è una porta. Dio sia con te.

Ulisse ritrovò le forze e con uno scatto si fiondò verso il
buio della sala. Non c'era nessuna porta. Achille gli indicò
con un sorriso lo schermo.

Adesso che ci penso, è esattamente dall'altra parte, di là.

Ulisse attraversò la stanza di corsa, petando come un cavallo. Aprì la porta: c'era un ampio cesso con maniglie e attrezzi, lo raggiunse appena in tempo. Ebbe sette scariche con-
secutive, mentre Achille gli aveva messo come colonna sonora l'ouverture del *Guglielmo Tell*. Quando uscì era cada-
verico.

Affè mia, cavaliere. Puzzate come un letamaio e avete un
volto malsano. Una buona dieta non vi farebbe male.

– Bastardo – disse Ulisse.

Avresti voluto che ti tenessi il broncio per tutto il giorno?
Ora sto meglio, mi sento liberato. Anche tu o sbaglio?

Ulisse gli si fece davanti e alzò minaccioso un pugno. Poi
abbracciò il testone di Achille, stritolandolo un po'.

– Sei un gran matto – disse.

Se mi hai staccato qualche pezzo, o hai rotto la sonda, ti cito per danni.

– E adesso che sono miracolosamente vivo cosa facciamo?

Tu continuerai ad andare in bagno. Con la dose di farmacon che ti ho dato dovresti fare ancora una decina di assoli. Intanto potresti dirmi cosa farai stasera con Pilar.

– Ci vediamo, ma ahimè non da soli. Lei ballerà in discoteca, ha bisogno di soldi. Sai cos'è una cubista?

Una pittrice, oppure una bella ragazza che balla e tutti la guardano.

– Lei è in effetti tutte e due le cose, ma stasera sarà soprattutto una ballerina poco vestita in mezzo a un'orda di Proci. Non sei geloso?

No, mi eccita, perché so che lei è solo mia e tua. Uccidi i Proci con una freccia intinta nel veleno della tua gelosia. Amala di più, guardala riflessa negli occhi degli altri.

– Non è facile.

Immaginiamo cosa accadrà stasera. Non frequento discoteche, non so com'è la scena. Descrivimela.

– Posso pensarci su un momento? – disse Ulisse schizzando verso il cesso. Quando tornò Achille aveva messo su un samba, per ispirarlo.

– Allora – iniziò Ulisse. – Il Dedalus è appena fuori dalla città, nell'oceano di nebbia, dopo la Piazzola dei Peccati e il market della Massaia Mannara. Sembra un tartarugone, una grossa testuggine con la testa nascosta dentro al carapace, in mezzo a un deserto di cemento e neon. Da lontano puoi sentire il rumore della sua aorta. Un battito grave, continuo, di basso digitale. Siamo in quattro. Io, te, Pilar ed Elena, una stangona senza alcun principio etico che fa la cubista da anni e cubando cubando si è comprata la casa e la macchina. Una monovolume comoda, e noi sopra. Elena guida, io ho mal di pancia, tu dormicchi, Pilar è nervosa. Sotto il giaccone di lana peruana ha un vestito nero corto e degli stivali da regina dei pirati prestati da Elena. Non puoi ballare sul cubo vestita da Madame Bovary, per quanto sarebbe un'idea. Parcheggiamo davanti al Dedalus. Io controllo dove sono le toilette, casomai avessi un ritorno di fiamma. Tutto intorno è pieno di pivelli e pischelle, bulli arroganti e ragazze cotonate. C'è uno uguale a tuo fratello Febo, vestito sadomaso. Ed ecco che Antinoo, ovvero Antonio, il padrone del locale ci viene incontro. Vedendo Pilar alza le mani e dice: mi arrendo a questa bellezza... poi...

Fai ancora quel gesto.

– Quale?

Quando hai alzato le mani.

– Così?

Mi piace. Mi piacerebbe poter alzare le braccia così. Mi piacerebbe scrivere il mio nome a penna e firmare assegni a vuoto per miliardi. E soprattutto mi piacerebbe poter saltare. Staccarmi da terra. Deve essere bellissimo. Da piccolo mi facevo rotolare sul pavimento, era divertente. Ma saltare! Hic Rhodus, hic salta. Se fossi in te procederei a balzi tutto il giorno. Un canguro deve essere la creatura più felice del mondo. Un canguro filosofo innamorato.

– Certo. Beh, allora entrano alcuni giovani teppisti filosofi, saltando come canguri. Antinoo dice...

Continuo io.

CAPITOLO QUINDICI

Da: musomania@liber.it
A: lellulisse@liber.it

Erano finalmente seduti sui comodi e lerci divani del Dedalus. Ma non era stato facile. All'entrata c'era una manifestazione del Collettivo Pipistrello, ovvero il personale delle discoteche notturne che protestava per i licenziamenti avvenuti in alcuni locali. La manifestazione sembrava guidata da un omone con un baschetto blu, evidentemente un buttafuori, che aveva al fianco un ometto baffuto e una biondona volantinante.

Il volantino diceva:

I lavoratori della Sipel solidali coi licenziati del Dedalus, del Toccami, dell'Evoè e del Disco Inferno.

Hulk, un buttafuori del Dedalus, aveva affrontato l'omone dicendo ma tu cosa c'entri con noi? L'omone aveva ribattuto qualcosa sul proletariato internazionale notturno unito e il buttafuori aveva gridato io ti butto fuori e l'omone e io ti ributto dentro, c'era stato un breve match di wrestling e il grande Hulk era stato sollevato in aria da Olivetti il Vendicatore Rosso e spalmato al suolo.

Poi c'era stato un altro incidente che aveva coinvolto Achille detto Icchio, un biondone bello e semplicotto, il fidanzato di Elena. Il ragazzo si era subito lanciato nelle danze ma nel dimenarsi era scivolato, aveva battuto la schiena e adesso era semisdraiato sul divano. Per il dolore riusciva a muovere solo la testa e le mani.

Lello aveva sfidato la calca del bar ed era tornato a prendergli un farmacon rinvigorente, un coda-di-gallo a base di distillato di cereali sovietici, ma erano tutti e due mogi e silenziosi. La gelosia li attanagliava. Le loro ragazze erano scomparse nello spogliatoio, aspettando il loro turno di danza, che cominciava a mezzanotte. Ora sui cubi c'erano sei ballerini, tre tarzans e tre janes. I cubi non erano in realtà cubi ma parallelepipedi luminosi... Perciò Lello e Icchio discutevano sul fatto che le ragazze avrebbero dovuto essere chiamate parallelepipediste, o pipediste. Cercavano di affogare in quel dilemma linguistico il loro virile dramma. Perché c'erano Proci dappertutto, in attesa delle cubiste pipediste di mezzanotte, notoriamente le più belle e provocanti. E quella notte ci sarebbe stata anche l'elezione di Miss Dedalus. La più bella cubista sarebbe stata ammessa a un provino televisivo per un possibile futuro, chissà, da velina, da surmolottina, da paperina. Avrebbe giudicato le ragazze una giuria presieduta da Antinoo, ovverossia Toni Bodi, animatore e proprietario del Dedalus. Perciò la prociaglia era eccitata, e un gran numero di inguini chiappe e feromoni fibrillava sulla pista. Quando il vecchio turno di cubanti smontò e si annunciò il nuovo, i Proci smisero tutti di ballare, lasciando le loro compagne a soliloqui e monodanze. Accompagnate dalle note di *Shake My Body* entrarono sei nuove ninfe.

Erano:

Cristina, ovvero Cris coda-di-cavallo, bionda longilinea che col roteare della lunga frusta chiomata era in grado di domare la più inferocita orda di pretendenti.

Brigida detta Bri occhi-di-gatto, i cui verdi sguardi erano così intensi da costringere anche il più Procio dei Proci a guardare solo quelli.

Odetta Onfalotropa, negretta specialista di danza del ventre, il cui ombelico frullava a velocità tale che alcuni, osservandolo troppo intensamente, perdevano diottrie e senno.

Saturnia Seninsù, le cui enormi tette, per un incantesimo del dio Silicone, ondeggiavano alte e parallele senza mai cadere, come nubi nel vento.

Elena l'Elettrica acrobatica, che accendeva risse e contese per la sua bellezza, e le cui evoluzioni sul cubo sfidavano i limiti dell'anatomia.

Pilar Penelope Paperina, tipica bellezza latina la cui timidezza, unita a un senso musicale innato, la rendeva ipnotica e pericolosa più di ogni Circe e culandrana.

E quando sulle note di *Move Your Body* esse iniziarono a danzare, l'urlo dei Proci salì al cielo, ed essi si misero vieppiù ad attizzarsi e a far commenti, mentre torme di fidanzate incazzate si accalcavano al bar a lamentarsi con il barista, un Apollo in salopette sadomaso.

– Banda di sfigati – disse Icchio, sciogliendo un'aspirina nella vodka – sembra non abbiano mai visto una donna.

– Proci maledetti – disse Lello – ma non capiscono che sotto quelle belle forme può esserci un'anima, e problemi economici, e permessi di soggiorno?

– E soprattutto fidanzati fedeli che le amano – disse Icchio.

– Soprattutto. A te quale piace di più?

– Escluse le nostre?

– Naturalmente.

– Beh, quella con gli occhi di gatto non è male – disse Icchio.

– A me non dispiace quella con la coda di cavallo – disse Lello.

– Ottimi gusti – disse Antinoo Toni Bodi, che ascoltava alle spalle – lei mister Lello è giornalista, vero?

– Io sì, come lo sa?

– Me l'ha detto Elena.

– E io sono il ragazzo di Elena – disse Icchio, cercando di alzarsi, ma subito ricadendo.

– Comodo comodo – disse Toni Bodi – beh, la sua Elena è una favola, ma secondo me la latina ha una marcia in più, quella con i capelli lunghi e quel culo parlante. Vedete, si muove poco, è timida, ma tra un po' mette su il turbo da troia e le straccia tutte. Quella non sta in casa a far la calza aspettando il suo uomo, ve lo dico io che me ne intendo. Quella infila cazzi come uno spiedino.

Lello cercò all'intorno un oggetto qualsiasi. Un guanto da sfida, una sciabola, una pistola.

– Signore – disse infine – conosco quella ragazza e le posso giurare che è seria.

– Certo certo – sorrise Toni Bodi – e le altre vi piacciono?

– Quali altre? – mentì Lello.

– Ci piacciono le due che ballano sulla destra – confessò Icchio.

– Criseide e Briseide – disse Antinoo – vengono dalle terre di Borea, ovvero da un paese nomato Lituania, ballano e frequentano l'ateneo per diventare psicologhe psicopompe, per pagarsi la didattica scondinzolano a pagamento in questa gomorra. Ma lei che è gazzettiere e uomo di lettere, parli bene del mio locale e gliele farò conoscere.

– Davvero? – disse Lello.

– Scrive per molti giornali – disse Icchio.

– Beh, ora devo andare – disse Toni Bodi – la giuria mi reclama.

I due amici bevvero dimolte vodke, che Icchio sorbiva con la cannuccia, e ascoltarono brani quali *Move the Body*, *Shake the Party*, *Everybody Moves the Body*, *Shake and Move*, *Come on Move*, *Come on Shake*, *Party Your Body*, *Shake My Body* e *Yesterday* dei Beatles, dedicato alla mamma del barista che compiva novantasei anni. Quindi la giuria prese posto e le sei ninfe diedero il meglio.

Criseide roteava la coda facendola sibilare come un lazo.

Briseide dardeggiava occhiate laser.

Odetta era arrivata a quattrocento vibrazioni ombelicali al minuto, e faceva fumare il cubo.

Saturnia scuoteva le tette causando maestrale a forza otto.

Elena sfoderava spaccate da ginnasta russa.

Pilar Paperina, dall'iniziale timidezza, raggiunse gradatamente la trance propria dei riti caraibici, i capelli le scesero sul volto e si indemoniò con grazia selvaggia.

Lello notò con orrore che il pubblico dei Proci, inizialmente disposto a ventaglio di fronte alle ninfe, tendeva ora a spostarsi e radunarsi verso il cubo di destra, quello dove ballava Pilar, e questo non sfuggiva alla giuria, come chiarissimo dato auditel.

Lello corse sotto al cubo e quasi prono a un altare invocò:

– Pilar ti prego non esagerare.

Ma la bella latina, persa nelle note di *Move Your Body at the Party*, non lo udì.

– Pilar ti prego, vacci piano o vinci – gridò Lello.

– Ma che cazzo vuole questo – disse un Procione, nel senso non di orsetto ma di palestroide, con gilè di cobra.

– Ehi bella – disse Aghelao, un Procio tatuato e fardato – dai che salgo su e ti infilo una banconota negli slip.

– La dia a me che poi gliela do io – disse Lello.

Per fortuna non fu inteso.

– Bella, salgo su e ti infilo la banconota e qualcos'altro – disse il Procio Aghelao.

– Fatti inculare – disse Pilar, riprendendosi dalla trance.

Il Procio era in effetti circondato da alcuni ragazzotti in bermuda lamé che avrebbero potuto rendere immediatamente operativo il consiglio della signorina, perciò restò immobile in mezzo alla pista indeciso se incazzarsi o no, quando le luci si accesero e Toni Bodi gridò:

– E ora sgomberate la pista poiché ci sarà la proclamazione di Miss Dedalus. Il primo premio, lo ricordo, è un biglietto per Capradimare Terme ove la vincitrice potrà partecipare alle semifinali per Miss Cubo Regione e da lì alla selezione finale per Paperina 2004.

Un brivido percorse il pubblico. Un posto da Paperina, il massimo onore a cui una ragazza poteva aspirare in quel paese. E ognuno dei presenti, un giorno, avrebbe potuto dire: l'ho conosciuta quando ancora non era famosa...

– Vi presento la giuria. Il giornalista Giò Ginnico, esperto musicale di "Groove Your Body", rivista da voi tutti conosciuta. Lo scrittore Bellone, celebre volto televisivo. Sandra Beauvisage, truccatrice ed estetista insigne, tanto per dire, è quella che toglie i brufoli ai moderatori.

(La platea convenne che non era poco.)

Lello, tornato al suo lercio e comodo divano, guardò Pilar. Stava sul cubo, con le mani incrociate sulle spalle. Forse aveva freddo, poverina.

Un buttafuori lo toccò su una spalla e disse:

– Mister Lello? Toni Bodi dice che deve fare il vice.

– Come?

– Dice che adesso lei deve fare il vice. La accompagno io.

– Non capisco.

– E poi – disse Toni Bodi – avrebbe dovuto esserci Raoul Balzak, il divo della soap opera *La commedia umana*, ma purtroppo ha avuto un incidente, l'auto su cui viaggiava è uscita fuori strada, non si è fatto niente, ma non arriverà in tempo.

(La platea si divise tra preoccupati e sospettosi di una fregatura.)

– Lo sostituirà un noto giornalista polivalente che scrive su molti giornali, mister Lello D'Ulisse.

(Tutta la platea convenne sulla fregatura.)

Così Lello si ritrovò sull'Olimpo, ovvero il palco della giuria. Vide le ninfe stanche sui piedistalli marmorei, in attesa dell'ultimo verdetto. Pilar aveva i capelli sudati sciolti sul petto, era bella come la Madonna delle Rugiade. Ci fu un conciliabolo tra giurati da cui Lello fu escluso. Poi Toni Bodi disse:

– C'è una situazione di parità. Le due finaliste sono le signorine tre e sei.

Tutta la platea approvò la scelta. Criseide e Pilar. Ambo vincente, pensò Lello.

– E poiché hanno tutte e due un delizioso vestitino, faremo uno spareggio-strip. Chi se lo toglie meglio, vince.

La platea si divise e deflagrò, ceffoni, graffi di fidanzate, calci nei marroni, risse, spintoni.

– Pilar non se lo toglierà mai – disse Lello alla visagista.

Invece era già lì pronta sul cubo, la maledetta latina, e guardava pure Criseide con sfida.

È un incubo, pensò Lello.

– Puoi fare solo una cosa – disse Icchio, che si era fatto portare a braccia vicino al palco da un buttafuori gay entusiasta.

– Cosa devo fare?

– L'arco e le frecce.

È vero, pensò Lello, e balzò in mezzo alla sala gridando:

– Fermi tutti!

– Cosa c'è – intervenne Antinoo – non può contestare il verdetto, lei è un vice.

Lello tese l'enorme arco delle veloci idee micidiali, che solo lui era in grado di usare, infilò il dardo e scoccò.

– Mi dicono che fuori dalla discoteca, una banda di teppisti filosofi sta rigando tutte le auto.

Fu come un lancio di gas lacrimofori. La folla ondeggiò, si divise, si incolonnò urlando di odio e terrore. Tutti guadagnarono l'uscita, anche chi non aveva la macchina, alcuni armati di coltelli, altri di gambe di sedie, altri trascinando la fidanzata riottosa per i capelli. Lo stesso Antinoo fu travolto e calpestato, scotennato della parrucca.

Restarono solo Icchio sul divano, il buttafuori gay che divideva con lui un frappé, Lello e Pilar, uno di fronte all'altra, come bambini.

– Ti saresti spogliata? – disse Lello.

– Non lo saprai mai – disse Pilar, e lo baciò sudata.

Erano quasi le cinque di mattina, e il Dedalus si stava svuotando poiché tutti transumanavano in un altro locale. Pilar e Ulisse camminavano nel parcheggio, lei aveva un asciugamano intorno ai capelli.

– Mi fa piacere che tu sia venuto – disse Pilar – hai sofferto molto?

– All'inizio un po'. Poi ho visto che eri la più bella, e non ho pensato ad altro.

– Ma dai...

– Davvero. Avresti dovuto vincere tu, non quella spilungona russa.

– Allora mi lascerai ballare ancora?

– Tutte le volte che vuoi.

– Una sola. Mi basta per pagare le tasse universitarie e comprare un po' di colori.

– E per me quando balli?

– Se non casco per terra, stanotte – disse Pilar.

Si baciarono a lungo, finché un clacson non li interruppe. Erano Elena e Giorgio, il suo ragazzo. Li accompagnarono in macchina a casa di lui. Lì, tra i bisbigli e i commenti piccanti degli scrittodattili, fecero l'amore tutta notte fino all'alba, cioè per quarantacinque minuti.

CAPITOLO SEDICI

Dopo la notte di forti emozioni, Ulisse si presentò in ufficio tardi. C'era un po' di confusione. Il giovane tecnico chiamato a salvare la vecchia stampante stava spostando fili e cavi, evidentemente turbato da Circe, che lo sovrastava con scorci della minigonna. Dall'ufficio di Vulcano giungevano voci di un alterco. L'avida locataria urlava come una furia e come risposta giungeva la frase iterata: *perdio signora, ragioniamo.*

Ulisse salutò Circe e per pura inerzia dei feromoni disse:

– Ciao bella. Quando andiamo a vederci un altro film?

– A me piacciono i film lunghi – disse la perfida maga.

– In che senso?

– Quelli che non finiscono subito.

E condì la stilettata con uno sguardo alle grazie del giovane tecnico.

Umiliato nella virilità e nella cinefilia, Ulisse entrò mentre l'Erinni usciva, placata da un assegno. Vulcano giaceva in poltrona, tenendo in grembo un libretto bancario evidentemente mutilato, e ancora tremava per lo choc.

– Non ce la faccio più Lello – disse – soldi, soldi, tutti chiedono soldi. Bisogna diventare più competitivi. Ci vuole un nuovo socio. E soprattutto nuove energie, nuove idee per il futuro.

– Ad esempio?...

– Ieri ho comprato l'ultimo gioco Playstadion, straordinario. Ci ho giocato tutta notte. Si chiama *Viali*. Non puoi capire quanto è appassionante. Tu vai con la macchina in giro di notte, e devi trovare cinquanta tra puttane, viados, dominatrici, eccetera. Puoi scegliere di impersonare il ruolo del protettore o del cliente. Cliente è più divertente. Devi scovare una per una le creature notturne, nella nebbia, sotto i ponti, nei parcheggi. Più in fretta le trovi e più ne trovi, più bonus di soldi guadagni. Con questi soldi fai un'offerta alla puttana e quella viene con te. A casa tua o in macchina o in hotel. Puoi scegliere tra scopata, culo, pompa, frustami, schizzami, sedici alternative diverse. C'è una breve scena erotica abbastanza castigata, e subito ricomincia la caccia. Devi farti tutte e cinquanta le creature della notte. Ma ci sono i nemici: la finanza, la buoncostume, i papponi albanesi, la triade cinese, la ronda delle suore, il serial killer di prostitute. E puoi avere dei bonus tipo Viagra, o Preservativo magico, o Superfascino per cui vengon con te con lo sconto o gratis. Se riesci a fartele tutte prima che venga l'alba, affronti il boss finale, che è il Papa, e se lo batti vinci un filmato speciale porno e ricominci il gioco con costumi diversi e in una città diversa. Te lo giuro, è eccitantissimo. Questo è il nuovo!

– Ma Valerio – disse Ulisse – qua siamo nel virtuale del virtuale.

– Non capisci niente Lello, il virtuale del virtuale è reale. Telefona a Malaora.

– No ti prego. Non ho bisogno di altre tristezze.

– Se non lo chiami, non ti parlo del nuovo socio.

– Fallo tu.

– L'ultima volta che l'ho fatto ho pianto.

E così Ulisse telefonò a Malaora, scrittore avvolto nello spleen come in un sudario, torturato dal travaglio di scrivere, da lui raccontato in sessanta libri.

– *Pronto?*

– *Certo che sono pronto. Bisogna essere pronti a tutto, anche al passo estremo.*

– *Ovviamente. Parlo col professor Malaora?*

– *Non mi chiami professore. Nessuno insegna, nessuno impara. Perché le sue unghie grattano alla lapide della mia solitudine?*

(Cominciamo bene, pensò Ulisse.)

– *Gratto in quanto rappresento la casa editrice Forge, che sta preparando un'antologia di giovani scrittori.*

– *Funesta attività. Perché illudere i giovani che scrivere serva a qualcosa?*

– *Potrebbe essere proprio questo l'argomento della prefazione. Chi più di lei è adatto a scrivere qualcosa sulla assurdità dello scrivere? Potrebbe servire a quei ragazzi per smettere subito.*

– *Non mi aduli, da tempo ho messo l'adulazione nel computo delle mie malattie. Non scrivo più da giorni. Quasi non mi alzo dal letto. La stupidità e la volgarità del mondo mi pietrificano. Inoltre ho un dolore sotto l'ascella che il medico definisce intercostale, ma io so bene che si tratta di una grave cardiopatia. Anche il mio orecchio sinistro...*

– *Capisco le sue condizioni. Ma io credo che una voce dolente e ammonitrice come la sua non possa tacere...*

– *Non creda. Da tempo ritengo il credere una metastasi del pensiero. Mi sto preparando a ricevere il premio Fernet d'amour. Lascio a lei immaginare come mi sento.*

– *Io sono solidale, anche se so che ogni solidarietà è un'ostilità mascherata. Ma basterebbero due cartelle severamente stimolanti, come solo lei sa fare.*

– *Quanto pagate?*

– *Non molto. Ma potremmo pagarla in tisane, o in supposte.*

– *Come ha detto?*

– *Ho detto cinquecento euro. È poco?*

– *Io ne prendo almeno duemila. Ma perché le preciso questo? Il precisare, il confondere, il prendere, il perdere, il vivere, il morire...*

– *La ringrazio comunque. Non posso certo dirle: stia bene.*

Mi auguro che lei possa almeno soffrire in modo sopportabile.
– Grazie. Millecinquecento non me li date?
– No.
Clic.

Ulisse posò la cornetta, e sorbì d'un fiato una mignonnette di grappa che teneva nel cassetto per i momenti difficili. In breve tempo si riprese, ma una nuova prova si avvicinava.

– Com'è andata con Malaora? – disse Vulcano apparendo in un alone di nicotina.

– Malissimo naturalmente – dissulisse.

– Cazzo, troveremo mai qualcuno che ci farà quella dannata prefazione? Dov'è sparita Circe? E il tecnico dov'è? Allora, vuoi che ti parli del nuovo socio?

Gli sguardi dei due si incrociarono come lame. Era venuto il momento della resa dei conti. Un tuono fece vibrare i vetri della finestra, che si rigarono di pioggia. Stavano in piedi a pochi metri di distanza, fieramente ingobbiti. Al fianco di Ulisse si schierò Calobecillo, dio dei puri e fessi e Questopoinò, dio dei settari. Vulcano era protetto da Sepofàr, dio dei trivi e dei compromessi, e da Pecunia, dea della rendita, il cui tempio è una gigantesca vasca con idromassaggio.

Vulcano si avvicinò sorridendo in modo falso e capzioso. I capelli gli si erano attorti come serpi di Medusa, e in tal guisa cinicamente parlò:

– Allora Lello. Sarò breve. La casa editrice che mi ha proposto una collaborazione è la Grafocredit. Dipende direttamente dalla banca Crepa e ogni anno regalano volumi ai correntisti. Ai clienti importanti e danarosi regalano libri di lusso, bei sarcofaghi fatti con carta di papiro sumero e grandi stampe a colori. Ma stanno cercando libri per il medium e low target. Affiderebbero a noi il low target. Sarebbe un gesto politico, una battaglia culturale, capisci? Noi dovremmo curare i libri per i piccoli risparmiatori, tirature dalle ventimila in su...

– Ma... – riuscì a dire l'onesto e politropo Ulisse.

– Fammi finire – disse Vulcano, sbuffando fumo – gli ho già proposto come dono di Natale l'antologia *Over 100*. Loro preferirebbero inizialmente qualcosa di più semplice, tipo "le 100 migliori barzellette sugli obesi". Metà della tiratura va per i loro regali, l'altra metà è nostra in libreria. Non è grande?

– Valerio – disse Ulisse con voce indignata – il Crepa è la banca loggista per eccellenza, ha finanziato l'ascesa del Duce, è andata sotto processo decine di volte, e tu la chiami una grande idea?

– Ma non capisci? – sibilò Vulcano. – Nella fattispecie loro non fanno i bancari, bensì gli editori, il passato non c'entra.

– Quindi se arrivano le edizioni Goebbels, noi ci associamo subito.

– Lello – gridò Vulcano eruttando lapilli di saliva – sono stufo dei tuoi steccati ideologici. Non posso passare la vita a lottare per l'affitto, tra scrittori sterili e barricaderi. Se devi fare tre libri buoni, ne devi fare anche tre di merda. È una legge dell'editoria.

E spesso fra i tre libri che credi buoni, due sono di merda, pensò Ulisse, ma tacque.

– Questa è la realtà, Lello – disse Vulcano con un profondo sospiro – accettiamo la sfida di un socio che non c'entra niente con noi, una palese e spudorata macchina da soldi. Come dici tu, un corrotto davantismo. Meglio di tanti che ti pugnalano alle spalle. Se ci stai, bene, se no trovati un altro lavoro.

Seguì una pausa. Le divinità sedevano imparziali ai quattro lati della stanza. Anzi, dormivano.

Ulisse guardò Vulcano. No, pensò, nessun mostro da perseguire a fil di spada. Un normale quarantenne in difficoltà economica, pieno di confusione e catarro. Mostruoso sarebbe stato decapitarlo con un giudizio. Ma andarsene, questo sì, era dignitoso.

– Grazie Valerio – disse Ulisse – sei stato breve e chiaro. Addio.

Infilò due o tre scrittodattili in borsa e uscì dall'ufficio. Appena in strada sentì Valerio gridare dalla finestra.

– Aspetta... non abbiamo ancora firmato niente. Non fare così, che amico del cazzo sei...

– E io che pensavo di fargli vedere quello che scrive Achille – sospirò Ulisse.

– Siamo senza editore? – chiese preoccupato il professor Colantuono.

– Forse, professore: i nostri destini sono uniti nella buona e nella cattiva sorte.

Ulisse camminò un po' assonnato, sotto la pioggia, senza neanche scegliere i marciapiedi più riparati. Dalle macchine ingorgate e dai camini saliva al cielo una preghiera di veleno. Lo smog anneriva l'acqua delle pozzanghere. Idrocarburi aromatici e virus influenzali si inseguivano come amorini tra nuvolette di argon. Il professor Colantuono starnutì. Gli scrittodattili nella borsa aperta si stavano bagnando. Il cielo era così buio che a mezzogiorno erano già accesi tutti i lampioni. Era come se un tempo alieno si fosse impadronito di giorni e stagioni. Niente più mattina, niente più autunno. Un'unica ora e un'unica stagione, in quel paese che sembrava vergognarsi della sua bellezza, della sua bastarda varietà, fatta di Nord e Sud, di cromosomi arabi e mitteleuropei, levantini e catalani, fenici e greci, di isole e vulcani, pianure e montagne. Tutto cancellato per un unico paese castrato, videocomandato e teleonanista, assordato dagli spot di un miliardario gonfio d'odio, una dépendance dell'Impero, un luna park per delinquenti, un'azienda in bancarotta di idee e di speranze. C'era più vita nella camera buia di Achille che nei bunker di quel potere, di quella funebre setta del suicidio collettivo. Ulisse invece voleva vivere. Aveva numeri magici, più magici degli oracoli che scorrevano sugli schermi delle banche, e questo lo rendeva imprendibile, non potevano catturarlo, e lui poteva alzare le mani e le braccia, camminare e volare con piè veloce. Saltò una catena che chiudeva un parcheggio, si mise a correre, con la borsa che sbatteva sulle gambe. Fece alcuni balzi attraversando la strada e rischiò di farsi investire da un centauro con macrovespone. Scusi, disse, scusi un cazzo rispose l'altro e Ulisse corse via. Correva perché qualcuno lo aspettava. Aveva Pilar, aveva un nuovo amico. In America Latina da qualche parte un indio aveva vinto le elezioni e il menisco di Mironi andava meglio.

Chiamò il sindacalizzato Barbieri. Si fece aspettare parecchio, poi venne al telefono con una voce che non prometteva niente di buono.

– Dottor Ulisse, per quella pratica... quella del permesso per la sua auto.

– Ho capito, non puoi parlare.

– Esatto. Allora qualcuno l'ha presa via dall'archivio.

– In che senso?

– Portata via, evidentemente per controllarla.

– Non è un buon segno...

– No.

– Ho capito.

– Mi saluti la sua signora.

– Riferirò. Riposo, Barbieri...

La madre gli aprì. Ognuno capì che l'altro era in pena. Si accomodarono nel salottino delle conchiglie.

– Non è una bella giornata neanche per lei, vero? – disse, dritta nella divisa del suo vestito grigio.

– No. La mia ragazza vive in Italia con un permesso di soggiorno. Ma potrebbero toglierglielo.

La madre impallidì, quasi le mancò il fiato. La reazione sembrò a Ulisse addirittura eccessiva. Un figlio, e ora una figlia in pericolo.

– Io... spero che tutto si risolva ecco. Io spero di poter fare qualcosa.

– Lei non può fare nulla. Come sta Achille?

– Male – disse la madre. Prese in mano una conchiglia rosea e maculata, e la fece rotolare sul tavolino – quando stavamo al mare e suo padre era vivo, lui e Febo qualche volta giocavano insieme. Febo spingeva la sedia a rotelle sulla spiaggia. Pescavano. Cioè Febo pescava e lui guardava. Una volta disse: rimetti dentro i pesci, non vale: non hanno le braccia. Achille non lo ricorda, ma Febo era diverso da ragazzo. Non so cosa gli è successo dopo. Forse è colpa mia, ho pensato troppo al figlio sfortunato e ho trascurato l'altro.

Restò seduta dritta e spezzata come l'altra volta, metà che piangeva e l'altra cortese che offriva a Ulisse un vassoio di caramelle pallide.

– Domani sera c'è la cena. Febo l'ha voluta fare qui perché vuole mostrare la casa agli eventuali acquirenti, alla banca che possiede il resto del palazzo. Ha invitato un paio di persone importanti, che credono in lui. È ambizioso, vuole fare carriera in politica. Ha detto che questa cena è fondamentale per il suo futuro, e che per una volta nella vita devo aiutare lui e non Achille.

– Beh – disse Ulisse – è naturale che ci tenga molto. La cosa disturba Achille?

– Febo vuole che Achille resti chiuso a chiave, in quelle ore. Un anno fa disturbò una sua cena, ebbe una crisi, nessuno rispondeva al campanello e lui uscì nel corridoio e si mise a urlare. Febo mi ha fatto giurare che sarà imprigionato. Proprio questa brutta parola ha usato, "imprigionato". Non l'ho mai visto così feroce.

– Forse Achille non se ne accorgerà.

– Lo ha già capito. E soprattutto ha capito che domani si discuterà di questa casa. Parlare non è vendere no, però... – disse la madre, le due metà si unirono e pianse, finalmente, senza ritegno, il fazzoletto sulla bocca. – Achille non vuole parlarmi, ce l'ha con me, crede che io l'abbia abbandonato. La prego, gli dica che non è vero...

– Non si preoccupi signora – disse Ulisse – proverò a calmarlo.

Dalla camera venne un doppio scampanellio, poi un altro.

– Vuole vederla subito – disse la madre.

Ulisse entrò. Achille aveva sulle spalle un grande scialle nero, da sciamana del Sud. Teneva gli occhi bassi.

– Achille, ti ho portato un farmacon giamaicano. Poca roba, ma possiamo provare a fumarla. Ma come sei conciato? Sembri un vampiro.

Portami in terrazza.

– Aspetta un momento. Bello il tuo brano sulla discoteca. È andata più o meno così, sai...

Ho detto che non voglio parlare di quello che scrivo. Portami in terrazza, stronzo, e non stare di là a fare comunella con mia madre. Vuoi anche tu fare carriera politica? Vuoi diventare socio di Febo? Vuoi la mia casa? Quale pezzo vuoi, vuoi un libro? Eccolo.

Cercò di tirargli addosso un volume, ma riuscì solo a farlo cadere a terra. Si mise a bestemmiare a voce bassa.
Ulisse gli si sedette davanti con calma.

– Achille, non fare l'idiota. Tua madre non ti ha abbandonato e lo sai bene. Se vuoi sfogarti, fallo, ma non delirare. Già tutto il mondo delira.

Achille non rispose. Respirava affannoso a testa bassa. Il suo silenzio era insopportabile. Ulisse parlò, la sua voce suonò acuta e falsa.

– Achille non te l'ho mai chiesto. Cosa pensi di queste guerre?

Non cambiare discorso. Non posso essere sempre come mi volete, disperato, silenzioso e saggio. Soffro, mi incazzo, odio. Mi vogliono portare via la mia casa, la mia conchiglia. Non posso vivere altrove. Come staresti tu se ti portassero via Pilar?

– Forse vogliono farlo. Qualcuno sta controllando il suo permesso di soggiorno.

Achille con una mano graffiò l'altra fino a farla sanguinare.

Dammi dieci gocce di quella boccetta sul computer.

– Cos'è?

Non te ne deve fregare, ne ho bisogno. Versamele sulla lingua.

Ulisse gliele versò, qualcuna andò fuori dalla bocca.

– Sembra che ti stia impartendo la comunione – disse Ulisse.

Corpo e sangue di un povero lettore editoriale e di un malato terminale. Quanti cristi inchiodati a una sedia o a un letto la gente scavalca, per inchinarsi a un cristo di legno. Quanti sacrifici dimenticati, per ricordarne uno. Se mi facessero entrare in una chiesa, griderei: smettete di guardare quell'altare vuoto. Adoratevi l'un l'altro. Ti sembro blasfemo?

– No – disse Ulisse – forse non piaceresti al nostro cardinale, ma molte persone religiose ti capirebbero. Non è facile vivere come fai tu... cioè...

Un guerriero pellerossa è cento volte più coraggioso di un pilota di bombardiere, e la sua vita è più breve, più degna, più nobile.

– Non capisco.

Ho risposto alla tua domanda di poco fa. Ma già, tu dimentichi in fretta quello che chiedi, è così poco importante per te. Come si dimenticano le promesse e i giuramenti fatti nelle preghiere. Anch'io ho pregato, sai. A mani giunte e con tutto il cuore, non mi vergogno a dirlo. Una volta ho anche pensato di andare a Lourdes. Ma sono troppo orgoglioso. Non chiedermi se credo in qualche dio. Posso dirti che qualche volta l'ho cercato. Purtroppo corre troppo veloce per me.

– Non ho divinità da promozionare. Però posso assicurarti che hai un amico che ti cerca, che ti verrà a cercare ovunque tu vada, anche fuori da questa casa.

– Vuoi convincermi? – gridò Achille all'improvviso con voce stridula – è mia madre che ti manda? Cosa vuole dire "fuori da questa casa"?
– Achille calmati.
– Non mi calmo, pezzo di merda. Portami in terrazza ti ho detto.
– Non so dov'è – disse Ulisse.
– Apri la porta e seguimi.
Ulisse seguì Xanto che ronzava davanti a lui in un lungo corridoio. Vide altri quadri, e vecchi lampadari a goccia, meduse di vetro mutilate e impolverate. Poi il corridoio svoltò in un salone con un tavolo ovale e mobili carichi di cristalleria, statuine di pastorelle e piatti araldici. Sulle mensole bicchierini e statuine e piattini. Su piccoli tavolini, piattini e statuine e bicchierini. Un museo della fragilità.
– La sala da pranzo – disse Achille – pronta per la congiura. Adesso a destra.
La casa cambiò faccia. Moquette verde, quadri moderni, un attaccapanni con abiti eleganti, una cyclette, un tavolo con riviste di fitness. Era la zona di Febo. In fondo, una portafinestra con tende di velluto consunto.
– Aprila – disse Achille.
– Sta piovendo.
– Aprila.
Ulisse aprì. Il freddo li salutò, Achille si lasciò mettere lo scialle in testa, sembrava una suora diabolica. C'erano tre gradini. Ulisse sollevò Xanto, con le ruote che slittavano. Era una grande terrazza deserta, senza piante, solo vasi vuoti e crepati. Uno, enorme, sembrava incrostato da secoli di vita sottomarina. Sopra il parapetto era stata alzata una rete, dove rampicava a fatica un'edera spoglia. Da lì si vedeva un grande giardino con alberi immensi, cedri del Libano, tigli e ippocastani. E sullo sfondo, la via principale della città, il bianco e rosso dei fanali delle auto, e in alto il cielo avvelenato. Achille si fermò a un metro dal parapetto, sotto la pioggia battente.

– Non venivo qui da tanto – disse Achille.

– È bello – disse Ulisse.

– Gli alberi – disse Achille indicando con gli occhi – gli alberi.

– Ti piacciono?

– Non ho più fiato – sussurrò roco Achille. – Ascolta i miei pensieri.

Non esistono alberi brutti e alberi belli, esistono solo per qualche giardiniere censore o poeta da rimario. Il tempo dell'albero assomiglia al mio, è il mio tempo curato e riempito di vita, il tempo più bello che ci sia al mondo. Guarda quell'albero che ti indico col dito, ha il tronco che sembra ritorto da qualche mano gigante, o da un grande male. È bello come quel pioppo dritto e superbo. E quel pino? Si è inclinato e sghembato, per cercare il sole. E guarda, giro la testa verso quel vecchio albero lebbroso di muffa e funghi. Belli, tutti, in ogni stagione. Eternamente vivi, frustati dalla pioggia, piegati dal vento e poi di nuovo immobili. Guarda lassù il cedro, sostiene una gazza sul ramo, il ramo si inclina. Non sembra che la tenga delicatamente in mano?

– È altissimo. Avrà almeno duecento anni.

Un milione di anni. Segui i miei occhi. A me piace anche quell'albero spoglio. È un melo, credo. A primavera si comprerà un bel vestito nuovo. Un giorno avrò un bel vestito anch'io. Non quello della bara. Un vestito come i clown bianchi, col cappello a cono e le spalle a punta. E tu farai l'altro clown, quello col naso rosso e le scarpone. Ma questo pensiero forse non puoi sentirlo, amico mio. Facciamo un giro d'onore.

Achille avviò Xanto. Iniziò a girare in tondo, canticchiando con voce da vecchio grammofono una marcia circense. Ulisse era preoccupato perché l'amico si stava inzuppando e tossiva, tra un ritornello e l'altro. Ma non disse niente.

Dalla cima del cedro due merli videro la sarabanda di

Achille e scesero sul terrazzo. Saltellavano guardando quello strano essere: non era dritto e veloce come i pericolosi umani, ma neanche immobile come un albero. Una pietra danzante, un uccello-uomo, o un albero con le ruote? Piano piano, iniziarono a inseguirlo, si avvicinavano e scappavano con brevi voli non appena lui gli puntava contro. Achille lanciò un urlo rauco di gioia. Pioveva scrosciando, ma Xanto e i piccoli fantasmi neri continuavano a rincorrersi sul terrazzo. Finché un tuono più forte fece volare via i due merli. Lo sguardo di Achille li seguì fino alla cima del cedro, e poi su un tetto, fin quando scomparvero in un velo di nebbia. Xanto cigolava esausto per la corsa, una gomma mezza sgonfia.

– Piove Achille, ti prego, rientriamo.

– Un vero amico – disse Achille, guardandolo da sotto quel buffo scialle – deve saper consolare, ma anche saper accettare la disperazione e la lontananza. Ho il campanello con me, se avrò bisogno chiamerò. E ora basta, non riesco più a parlare. Senti questi versi.

Achille alzò la testa verso l'alto e chiuse gli occhi.

Stare sdraiato per me è naturale
Allora il cielo e io ci parliamo davvero
E sarò utile il giorno che sarò sdraiato per sempre
Finalmente gli alberi mi toccheranno
I fiori avranno tempo per me

– Torniamo in casa – disse Ulisse – ti prego.

Lasciami qui, non mi sento solo.

– Va bene Achille. Quando ci vediamo?

Non lo so. Guardami negli occhi. Vattene.

CAPITOLO DICIASSETTE

Ulisse scese le scale ma non riuscì ad allontanarsi dal palazzo, aveva le gambe pesanti e il fiato gli mancava, come per una febbre improvvisa.

Sei come me, immobile, senza poter alzare la mano per parare il colpo...

Si specchiò nei vetri della banca, si vide deformato, congelato in un ghiaccio oscuro. Homo scriptor politropos morto ai tempi della grande pandemia del 2004, nessuno usi il suo Dna, questa razza era terribilmente stupida e aggressiva. Vide la sua immagine sfocata, riflessa fra i televisori che trasmettevano i dati di Borsa su sfondo grigio. Al centro c'era una gemma di colori, uno schermo sintonizzato su immagini di guerra. *In diretta* diceva la scritta, ma era accaduto tutto in un sogno, qualche mese prima. Si vedevano vampe di fuoco e spire di fumo alzarsi da un deserto lontano.

Un guerriero pellerossa è cento volte più coraggioso di un pilota di bombardiere...

Una colonna di tank avanzava nel deserto, un bersaglio esplose polverizzato come in un videogame. Il volto dell'inviato aveva sullo sfondo una città in fiamme. Ulisse sentì l'odore del fumo acre, e tossì. Si voltò. C'era veramente un incendio, qualcosa bruciava in fondo alla strada, il camion dei pompieri balbettava lampi azzurri, il traffico era ingorgato e un fumo denso e lattiginoso confondeva i colori delle auto.

Ulisse esitò su quale dei due inferni guardare, quello lontano o quello a un passo. In quel momento, attraverso il fumo, qualcuno lo afferrò per un braccio. Era Febo, con voce vibrante di ira.

– Salga in macchina, le devo parlare.

– Non possiamo parlare qui?

– Parlo meglio quando guido. Salga, è più importante per me che per lei.

Tornarono nel cortile e Febo lo fece entrare nell'auto blu Maldive, l'interno era un trionfo di legni, pellami e stoffe maculate, l'unica cosa che lo stupì fu un gagliardetto della squadra di calcio cittadina. Febo uscì a marcia indietro, facendo frenare un paio di macchine, noncurante dell'ira dei nocchieri, dopodiché spinse il suo carro alato ai centocinquanta in una poderosa accelerazione di ben trenta metri. Breve fu il volo, e subito gli toccò di mettersi in fila nell'ingorgo. Il fumo li avvolse.

– Un'auto che brucia – disse Febo – sarà stato qualche corteo di manifestanti del cazzo...

– Lei li ha visti? – disse Ulisse.

– Le auto non bruciano da sole.

– Neanche le città – rispose Ulisse.

Febo ghignò e aprì il finestrino. Una nube fetida entrò, un alito di peste. Un vigile fece cenno di andare avanti. Stava bruciando un cassonetto, che aveva incendiato un grande cartellone pubblicitario che correva il rischio di contagiare le fiamme a un palazzo. E da lì il fuoco avrebbe divorato il mondo, le stelle, le galassie... Un pompiere color mandarino puntava verso l'alto una pisciata gigantesca, dall'alto piovevano pipistrelli di carta bruciata. Qualcuno scattava foto.

– Sembra una scena di guerra, vero? – rise Febo. – Ma già, a lei la guerra non piace. A me invece sì, quando risolve le cose. Non mi dispiacerebbe che qualche elicottero venisse a sparare missili su questi automobilisti del cazzo.

– E su di lei no?

– Io ho bisogno della macchina, gli altri no – disse Febo con sicurezza – e poi lei sa benissimo che in guerra quelli come me sono sempre al sicuro. La faccio già incazzare vero? Mi dispiace ma adesso non posso parlare.

– Se non può parlare perché mi ha fatto salire?

– Mi scusi, ma stavo parlando con la mia segretaria col telefonino, ho il bluetooth, sa cos'è?

Ulisse vide che Febo aveva un cimicione argenteo nell'orecchio.

– Sì, adesso lo so.

– È un optional comodo, anzi indispensabile in auto, io purtroppo non posso permettermi di spegnere il telefonino ho una vita piena di lavoro, troppo lavoro. Anche se voi pensate che noi non lavoriamo, per voi soltanto gli operai lavorano, tutti gli altri sfruttano.

– Noi chi, e voi chi? – chiese Ulisse.

Una sirena suonò improvvisa, si udì rumore di vetri rotti. Febo sorpassò a destra una monovolume e ne ingiuriò guidatore e stirpe, poi frenò di colpo fanculando un ciclista, poi disse a mister Bluetooth che arrivava tra mezz'ora, infine si rivolse a Ulisse.

– Voi, i comunisti. Non mi ha ingannato con quella sua faccia di bronzo, l'altra volta a casa mia. Ho preso informazioni. Lei è figlio emancipato di due maccheronai. Collabora a una rivista sinistroide, "Mai più". Ha scritto un libro di cui non ricordo il titolo, mi sembra *Racconti guerreschi*, dico bene? Ha anche dei precedenti penali per blocco stradale e robe simili. Vaffanculo bastardo, fatti in là se non sai guidare. Insomma, so chi è lei. Non si vergogna a insegnare politica a mio fratello?

– Suo fratello non si fa insegnare niente, ha già le sue idee. Mi spiega dove ha preso queste informazioni?

– Tesoro, veramente non ce la faccio, ho una cena stasera, ma ti giuro che il weekend in barca non ce lo leva nessuno.

– Io non voglio venire in barca con lei.

– Sto parlando al telefono, ciao tesoro a dopo – disse Febo, passando col rosso e quasi investendo un draghetto Tanaka cugino dell'originale. – Vuole sapere dove mi sono informato? In questura, dove ho un sacco di amici. È bene che le spieghi chi sono io, signor Ulisse. Io sono uno di quelli che voi chiamate rampanti, e io rampo, ovvero mi faccio il culo da anni. Sono diventato presidente dei Giovani Imprenditori Celesti, mi presenterò alle elezioni, e sto per diventare amministratore del Crepa, una delle banche più grandi del paese, metà capitale americano, le dispiace?

Rise con un ringhietto da botolo.

– So che vuole vendere a quella banca la casa di Achille – disse Ulisse con calma.

Febo annuì bestemmiando, l'auto venne fatta deviare da un vigile con mascherina, qualcos'altro bruciava in fondo alla strada, una colonna nera di fumo saliva lungo il campanile di una chiesa. Sul marciapiede c'erano dei manichini carbonizzati. Si udì un'esplosione sorda. Una donna allarmata scese dall'auto per vedere, tremava di paura.

– Torna in macchina puttana, blocchi tutta la strada – le urlò Febo.

Ma quella guardava ipnotizzata la luce rossastra riflessa nel blu dell'auto di Febo, come un mare insanguinato. Tossì per il fumo e chiese a Ulisse:

– Cosa sta succedendo?

Non lo so voleva dire Ulisse, non so che succede lontano né a un passo, sono cieco, ho disimparato a vedere, so solo che qualcuno vuole bruciare tutto e noi dobbiamo resistere, ma non poté dire nulla perché Febo scattò con uno stridio di gomme, sorpassò l'auto ferma salendo con le ruote sul marciapiede, e tornò nell'ingorgo con una frenata lamentosa. Ruggì e cercò di sorpassare in terza fila, ma restò bloccato da uno che aveva avuto la stessa idea in senso contrario. Si guardarono con odio primordiale.

Ora tutto era immobile. Fumo e smog avevano coperto i parabrezza di una coltre grigiastra, le auto avrebbero potuto essere vuote e abbandonate da secoli, scatole di scheletri, nessun superstite. Solo Ulisse e Febo in quella bara di metallo, e intorno il crepitare delle ultime braci, i passi dei monatti, la pace imprevista di un mondo punito e cancellato. Febo fece scatenare i tergicristalli, che gemettero di fatica.

Così si poté vedere che sul pianeta c'era ancora vita. Nella macchina di fianco, una piccola mano aprì un varco nel vetro appannato, e apparve il volto di un diavoletto di sei anni. Salutò Ulisse con aria seria. Poi due ombre alte e nere vennero loro incontro, attraversando lo Stige di benzene e fumo. Erano due laveurs de pare-brise du Maroc.

– Non ne ho bisogno, stronzi – gridò Febo – ho il vetro pulitissimo.

Uno dei lavavetri gli versò sul parabrezza un composto di detersivo, bava di lumaca e sperma di alieno. Poi sorrise come a dire: adesso non è più pulito.

Febo lanciò un rantolo. Il laveur iniziò a diradare la poltiglia.

– Ma a lei non fanno mai perdere la pazienza, questi? – ringhiò Febo.

– Mai – mentì Ulisse.

Febo sudava, si era slacciato il colletto della camicia e imprecava impotente, prigioniero nella sua auto, impiccato al volante. Il suo volto pallido per un attimo assomigliò a quello di Achille. Febo, misero dio senza cieli liberi da solcare.

– Ho sentito quello che ha detto, sì, vorrei vendere la nostra casa – disse Febo come risvegliandosi da un sogno – alla banca quei trecento metri quadri sarebbero utili e per la nostra famiglia sono sprecati. Metà delle stanze sono vuote. Lei conosce il cavalier Forco? Ti chiamo dopo, frocio. Cazzo vuoi, marocchino non te l'ho chiesto io di lavarmi il vetro. Stai a destra, scema, con quel motorino di merda.

Ulisse era quasi ammirato. Febo riusciva a gestire tre, quattro incazzature verso obiettivi diversi e distanti. Era un isterico parabolico. Sorpassò con stridere di ruote e riuscì nuovamente a passare col rosso. Ma subito un altro semaforo e un vigile imperioso, armato di paletta rossa bolscevica.

– Vigili di merda, scrocconi, parassiti – ringhiò Febo – c'è ancora tanto da ripulire in questo paese, e il cavalier Forco lo farà. Domani sera c'è una cena importante a casa mia. Non voglio che mio fratello si metta in mezzo e disgusti tutti. Guai a lei se non lo convince del contrario. Se no può dire addio alla sua Pilar.

– Bastardo – disse Ulisse – mi faccia scendere. Lei non ha preso informazioni, ci ha schedato.

– Gliel'ho detto, ho amici in questura. Non sono razzista, mi piacciono le negre viste da dietro. Non ride? Ma via, queste battute circolano anche nel suo ambiente, magari con un sorriso ironico e superiore. Beh, Pilar è un'extracomunitaria, su questo non ci piove. E ha presentato un falso documento di iscrizione all'università. Questo basta per rispedirla in Brasile o Cile o dove cazzo è nata, la sua olivetta. Ma che cazzo di fila, e perché non spengono questo incendio! Gli elicotteri cazzo, voglio gli elicotteri!

Ulisse schiumava. Ma in quanto poligamo e politropo doveva elaborare una strategia. Un cazzotto in faccia non sarebbe servito. Poteva rigare la macchina dall'interno, oppure strappare l'auricolare dall'orecchio di Febo, ingoiarlo e scoreggiare in faccia a tutti i suoi amici. Ma tutto questo sarebbe stato inutile. L'unica era lanciar frecce da più direzioni.

– Lei ha i suoi amici, io i miei – buttò lì Ulisse. – Pilar avrà il permesso, la questura è piena di poliziotti comunisti sindacalizzati. Che paura le fa una ragazza di ventisei anni che vuole vivere nel suo paese?

– Non ho paura – disse Febo – ma non c'è spazio per tutti. Abbiamo bisogno di aria. Non sono un passacarte come lei, non sono inchiodato a una sedia a rotelle come Achille, io sono un uomo libero.

Lo diceva pietrificato nell'ingorgo, col suo Xanto da cento milioni, crocefisso al sedile, intossicato di astio e benzene. Accese una sigaretta aggiungendo fumo a fumo e tosse a tosse.

– Adesso capisco – sospirò Ulisse – è lei il fratello sfortunato.

Febo lo guardò a bocca spalancata.

– Che cazzo dice? no, non dicevo a lei, avvocato, parlavo con uno che sta in macchina con me. Uffa, al diavolo questo coso.

Si strappò l'auricolare, che gli cascò tra i pedali, lo tritò col piede, bestemmiò.

– È un incubo – sospirò stremato – questo non è traffico, è la coda per l'inferno. Ma io arriverò in tempo. Febo arriva sempre in tempo dove vuole.

Strappò quasi la manopola del cambio, ruggì, tentò un sorpasso in terza fila. Il Fato era in agguato. Davanti gli si parò il muso minaccioso di un doppio dragobruco, una mutazione abnorme del Tredici. Lo schivò ma ci sfregò contro, schiantando un retrovisore. Il dragobruco proseguì sghignazzando.

– Merda, merda – strillò Febo scendendo – questi specchietti costano una cifra e ci vuole un mese per averli.

– Ma se lei non lo guarda mai.

– È una questione di simmetria, cazzo. Perché non capisce? Dov'è finito il mio telefonino? E che ore sono? E cosa...

Febo ansimò, impallidì. Si portò la mano al petto.

– Non è niente, è stress – disse – ho fatto gli esami il mese scorso. Ho il cuore di un ragazzino...

Da trapiantare? stava per dire Ulisse. Ma qualcosa di simile alla pietà lo arrestò, guardò il volto terreo del dio Apollo, che esaminava la ferita del suo carro alato, l'orribile mutilazione.

– Forse è meglio se scendo – disse Ulisse.

– Non abbiamo finito – disse Febo con un filo di voce – prendiamo qualcosa al bar.

Scese sbattendo forte la portiera dell'auto, improvvisamente nemica. Ulisse lo seguì osservandone il barcollare rabbioso mentre, sudato e stravolto, attraversava col rosso litigando con ciclisti e nocchieri, in continuo duello contro quell'incomprensibile mondo che conteneva umani non iscritti alla Loggia.

Raggiunsero un bar moderno con scomodissime sedie di metallo e un cameriere che sembrava un parà. Ai tavoli, solo una coppia che non si guardava, gli occhi fissi in direzione

Seychelles. Ai loro piedi un Cerbero con pedigree e zampacce storte ringhiò per guadagnarsi la pagnotta. Febo ordinò una camomilla e un whisky.

– Lei mi giudica, mia madre mi giudica, mio fratello mi odia – disse con un sospiro. – Ma cosa sapete di me? Voi vi preoccupate del fratellino sfortunato, inchiodato al suo letto di dolore. Ma lascia che ti racconti la mia storia Ulisse, ti do del tu, quando ci si sta sul cazzo ci si dà del tu. Ulisse, hai mai vissuto sapendo che tornando a casa avresti trovato ogni giorno una stanza chiusa e dentro un matto segaiolo che urlava, e puzzava di merda, e ogni giorno medicine da comprare, ricoveri, problemi? Quando ero piccolo, mia madre mi obbligava a dormire in una stanza insieme ad Achille. Si svegliava urlando e sbavando, se la faceva addosso. Lo portavo in giro in carrozzina e lui mi insultava. Quando portavo in casa le mie amiche, compariva col suo testone da mostro e le spaventava. Sì, se sono così è perché ho sofferto anch'io, e mi sono fatto una vita mia, normale. È un delitto? È vero ce l'ho con i deboli, gli inutili, quelli che non producono, quelli che vengono nel nostro paese a vendere droga e svaligiare ville.

– E lavare i vetri e giocare al calcio – aggiunse Ulisse.

– Un negro che gioca al calcio non è un negro – disse Febo, sintetizzando un ragionamento evidentemente più lungo e strutturato – e poi non mi fare prediche, la verità è una sola per me, per te, per il mondo. Se stai in mezzo a una strada a lavar vetri, o scrivi cazzate per un giornale, o amministri una banca, il motore di tutto sono i soldi. E i soldi non servono solo a pagare dei medici ignoranti e a comprare sedie a rotelle da dieci milioni, così costa quello Xanto del cazzo. La vita è anche cose belle, è questa macchina che l'abbiamo in tre in questa città, è il paio di belle scarpine casual che c'hai anche tu, caro il mio Ulisse. Io ho il diritto di vivere bene senza che nessuno mi rompa i coglioni, sono un mostro per questo? Io sono un uomo libero.

Sembrava sul punto di piangere.

– Nessuno ti nega il diritto di vivere Febo. Ma è un diritto di tutti, anche di Achille.

– Ma dai! La casa è sua, mia madre pensa solo a lui. Grande donna mia madre, vero? Ma allora perché quando nacque Achille con quel capoccione marcio lo hanno operato in ritardo? Non sarà che speravano che morisse? Non sarà che tutta questa bontà nasce da qualcosa di poco buono? Insomma, io non voglio più vivere in quella casa – ripeté a occhi bassi.

– E perché non te ne sei ancora andato?

Febo lo guardò senza espressione. Mandò giù il whisky, tirò un pugno sul tavolo, Ulisse pensò che volesse aggredirlo. Invece parlò a voce bassa, calmo.

– Io non volevo dirtelo Ulisse, ma c'è un perché io detesto mio fratello. È stato lui a uccidere nostro padre. Dapprima insultandolo, mettendolo in croce con quelle sue frasi da poeta pazzo. Mio padre si mise a dipingere mostri come un automa, era un bravissimo avvocato, gli ha insegnato a leggere, e la filosofia, e lui non voleva andare in istituto, e mio padre dopo il lavoro studiava con lui, anche tutta la notte. E lui gli diceva vai via papà, se stai male, se non ce la fai a entrare in questa stanza, vai via. Lo cacciava. E... non avrei mai voluto dirtelo Ulisse. Ma quel giorno... beh, loro due salirono in terrazzo. Sì, mio padre non era solo, c'era anche Achille con lui, ho visto bene i segni della sedia a rotelle, era piovuto e c'era uno strato di foglie umide sul terrazzo, mia madre cancellò le tracce. Mio padre non era tipo da uccidersi, l'ha spinto giù mio fratello, con quello Xanto del cazzo che costa più di un'auto, è stato lui.

– Non ti credo – disse Ulisse – il tuo sfogo forse era sincero, ma quest'ultima cosa è una carognata, oppure un fantasma di cui ti devi liberare.

– Te lo giuro su quello che vuoi.

Ulisse capì che non ce la faceva più, che tra poco avrebbe urlato.

– Lo giureresti su Mironi? – disse Ulisse.

– Non mi dire che sei tifoso – disse Febo. Sembrava aver dimenticato tutto, veloce come la sua auto.

– Il calcio è interclassista, sovrapolitico e politropo.

– Non so che cazzo dici o se mi prendi in giro, ma quest'anno abbiamo una bella squadrina e domenica andiamo dai cugini e gli rompiamo il culo.

– Tra due settimane però abbiamo la squadra del Duce in casa.

– Per me sarà un dramma. Come scegliere tra la moglie e l'amante – rise Febo.

Ulisse con raccapriccio pensò: in qualche zona oscura del mio cervello mi fa pena e mi diverte, è come vedere una caricatura. Forse è virtuale. Davantista virtuale.

– Dai, Ulisse – disse Febo scuotendolo per una spalla – domani è la partita decisiva del mio campionato, voglio vincere. Non essermi nemico, non ti conviene.

– Né nemico né amico, basta che non fai del male ad Achille.

– Garantito. Lo mettiamo nella clinica migliore. Televisione satellitare, infermiere col culo che parlano. E comunque ricordati, adesso che ci siamo conosciuti meglio, sai che posso essere simpatico e tollerante. Ma se mi fai qualche scherzo, giuro che la tua fidanzata torna dove è nata, a battere o spacciar coca, e io ti renderò la vita impossibile. Per finire, se non lo sai, presto potremmo anche comprare la tua casa editrice.

– Lo so.

– E perché ridi?

– Ti hanno appena fregato l'altro retrovisore.

Non era vero. Ma Febo sparì. Il palazzo bruciò completamente. Ignote le cause.

CAPITOLO DICIOTTO

Ulisse con un doppio dragobruco, forse lo stesso che aveva mutilato l'auto di Febo, tornò a casa. Mangiò senza appa-
recchiare, pisciò senza alzare la tavoletta, bevve una birra a
collo, si sdraiò sul divano con le scarpe. Accese il computer
senza attaccare la spina. Apparve il messaggio di Achille.

Da: musomania@liber.it
A: forgedit.lello@liber.it

Lello e Pilar erano saliti sui colli e si erano sdraiati sul-
l'erba bagnata. Gli alberi avevano perso le foglie, e il cielo
aveva già l'indifferente opacità dell'inverno. Davanti a loro si
stendeva un grande prato, dove alcuni eroi in tute ginniche
giocavano a calcio inseguendo un pallone fradicio, pesante
come un masso. Un camper solitario, illuminato come un pre-
sepe, vendeva salsicce calde, e tutto intorno volavano cornacchie. Un'auto di teneri amanti era imboscata in una siepe,
e un tenero guardone la spiava masturbandosi dietro un ci-
presso. Pioveva e i due si coprirono con un plaid. Pilar tirò
fuori di tasca una scatolina e si fece una sigaretta con un farmacon erbaceo sui cui effetti l'opinione pubblica è divisa.
   Al primo anello di fumo lui divenne un po' loquace, lei un
po' meno.
   – Questo tempo ti rende triste?
   – Sì – disse Pilar – vorrei il mio mare. Abitavamo in una

casa sopra una scogliera. Mia madre faceva gioielli di conchiglie, mio padre tornava dal lavoro e dipingeva mari in burrasca, come la rabbia che aveva dentro. Mio fratello viveva sempre in acqua, era un granchio, un mostro marino dal gran testone.

– Vorresti tornare?

– Non lo so – rispose Pilar – quando guardo questi alberi, penso che il mio posto non è in una città. Vorrei vivere in un bosco, dove la quercia e il faggio, i rovi e il muschio hanno uguale diritto di sopravvivenza, tutt'al più c'è qualche fungo parassita che fa il furbo. Dove non senti commenti sul colore del tuo tronco, o ti guardano male perché hai le foglie scompigliate. Oppure sotto il mare, dove nessuno è più forte e potente degli altri, ci si mangia a vicenda con equanime appetito. O in cima a una montagna, dove un paio di guanti caldi vale cento smoking. Questo paese trabocca di parole virtuose, la televisione le ripete cento volte al giorno, non c'è programma che non sponsorizzi qualche buona causa. Eppure è diventato ogni giorno più razzista e insensibile. O siete sordi, o quelle parole sono false.

Un aereo passò nel cielo grigio, le cornacchie crocidarono in segno di dileggio.

Al secondo anello di fumo i due amanti si addormentarono.

Un tocco sulla spalla svegliò Pilar. Davanti a lei stava l'abominevole nonna delle nevi, una vecchietta con una pelliccia lunga fino ai piedi e una specie di leprotto rosa al guinzaglio.

– Signorina – disse la vecchietta – si tiri su di lì. Non so se lo sa, ma stamattina è scoppiata la guerra nucleare.

– E me lo dice così?

– Tanto la televisione ripete di non preoccuparsi, che è una guerra nucleare necessaria per evitare danni maggiori. Infatti sono stata in centro e tutto procede bene, anzi ci sono due grandi novità: i saldi e i cinesi. I negozi, visto che domani potremmo essere tutti morti, hanno messo in svendita tutto. Pensi, questa pelliccia di visone duecento euro. E ho preso anche un cachemire per Mascherina, il mio cagnetto. Vero che il fucsia gli sta bene? Poi ho acquistato tre pentole a pressione e una cyclette con cardioregolatore che me le mandano a casa. Valeva la pena di capitare in una guerra nucleare, finalmente posso fare una spesa come ho sempre sognato.

– E i cinesi?

– Ah guardi, sono entrati in città a migliaia, a milioni. Tutti uguali con la divisina verde, sembra che abbiano aperto una gigantesca scatola di piselli. Qualcuno ha paura e scappa, qualcuno gli spara contro, ma a me sembrano innocui. Girano per le case con un asciugamano in spalla e chiedono posso fare doccia? E poi anche loro comprano ai saldi, escono coi carrelli strapieni di roba. Non vedo dov'è il pericolo.

– Ma stasera dovranno mangiare – disse Pilar – e anche domani.

– Non ci avevo pensato – disse la vecchietta – capaci che si mangiano tutto, quelli.

– Capaci.

– Beh, ho già preso un chilo di pâté di anatra per Mascherina. Adesso vado al supermercato, magari mi compro un'aragosta. Mi dice com'è fatta?

– Come un granchio, ma più lunga e rossa.

– Corro subito, allo Shop Eden svendono tutto, dieci euro un carrello pieno, qualcuno si porta via anche le cassiere.

– Ma cosa dice?

– Venga anche lei, signorina. Non è poi male la vita nucleare.

La vecchietta ruzzolò giù per il prato, ramazzando l'erba con la maxipelliccia. Il cielo si era oscurato e una strana luce rossa stava insanguinando l'erba, gli alberi, la città lontana.

– Lello, Lello sveglia – gridò Pilar – sta succedendo qualcosa di terribile!

Ma Lello era già stato svegliato da una ronda di soldatacci vestiti di verde, armati di randello e fucile.

– Ehi ragazzo – disse il sergente, con piglio marziale – stai qui in camporella e intanto i cinesi si prendono le nostre donne e le nostre docce.

– Vieni a combattere. Non sarà certo un'atomica a fermarci – disse il caporalmaggiore.

– Su coraggio, chi ha una spada l'affili – citò il soldato semplice ma colto.

– Non lasceremo la nostra verde pianura in mano ai gialli.

– Come dice il grande scrittore colonnello Maragnani, non c'è posto per tutti.

– Oggi i cinesi, domani i baresi.

– Ma chi siete? – chiese Lello.

– Siamo la ronda antidisfattista antipoligamica antipacifista – disse il sergente – l'ora della resa finale è giunta.

– Ehi, ma tu sei un Fis, fottuto intellettuale sovversivo.

– E tu una Tblsps, tipica bellezza latina senza permesso di soggiorno.

– Vi abbiamo beccato – disse il caporonda. E puntò il fucile sulla coppia.

Lello e Pilar alzarono instintivamente le mani in alto, e si guardarono intorno in cerca di aiuto. Si accorsero allora che i calciatori si erano avvicinati, e il pallone con cui giocavano rotolava con un rumore strano, quasi un lamento. Finché un pedatone più forte lo spedì proprio in testa ai tre soldatacci. Era un pallone di dimensioni fuori dal comune, che rimbalzò come una cannonata.

– I cinesi attaccano dal cielo – urlò il sergente.

– Scappiamo – urlò il caporalmaggiore.

– Forse siamo ancora in tempo per i saldi al sex-shop – gridò il soldato semplice ma colto.

E si dileguarono sparando in aria.

Il pallone si scrollò di dosso terriccio ed erba, e barcollò davanti a Pilar. Non era un pallone regolamentare, ma una strana creatura con testa d'uovo e piccolissimi arti, un humpty-dumpty sorridente e pesto.

– Ma che crudeltà – disse Pilar – era lei quello che prendevano a calci?

– Modestamente sì – disse quello, con voce fischiante. Perdeva aria da qualche parte, ma fortunatamente sembrava odorosa di menta.

– E lei non si ribellava? – disse Lello.

– È così che si sopravvive – disse l'uomo-uovo con un triste sorriso – bisogna giocare come vogliono loro. Salire sul cubo e fare la brava negretta col ritmo nel sangue, il bravo scrittore che dibatte in televisione a fianco del ministro, il disabile che intreccia cestini di paglia, il vecchio che evapora serenamente su una panchina.

– Ma che stranezze va dicendo?

– È vero, sto delirando, i miei pensieri sono irregolari come i miei rimbalzi e le mie perversioni. Ma anche voi siete due irregolari, due gramigne, due erbacce che per di più fumano erbaccia.

– Lei è rintronato dai calci – sospirò Lello, guardando il fungo grigiastro che si espandeva sulla città – ma ormai a cosa serve parlare, il mondo finirà.

– Il futuro non sarà più lo stesso – disse piangendo Pilar – ma ci sarà un futuro?

– Interessante quesito filosofico – disse l'uomo-uovo, saltando altissimo e sibilando un peto mentolato. – Il futuro esiste o è puro presente allungato e stirato come una molla? Oppure passato riciclato, o rete che la morte già tira verso la sua spiaggia? Il saggio Chirone si chiese una volta: siamo mosche in una bottiglia, o pesci nella rete? È più sensato cercare l'uscita o accettare con rassegnazione la sorte? Oppure c'è una terza immagine per descrivere la nostra condizione umana, ed è il labirinto?

– Ce lo spieghi – disse Pilar, cercando di saltare a tempo con lui.

– Ebbene sì – disse l'uomo-uovo, con una piroetta – siamo dentro a un labirinto. Possiamo solo accorgerci che ci sono strade cieche e chiuse, e cercarne altre. Forse non vedremo mai l'uscita. Ma possiamo ogni volta imparare qualcosa. Eppure spesso l'avventuroso cammino degli uomini si ferma. La mosca pensa che la bottiglia è l'unico mondo, il pesce si dibatte e impreca, Teseo continua a percorrere la stessa cieca strada. Cosa temono, cosa li trattiene dallo sperare e dall'avventurarsi? Ebbene, hanno paura delle molte strade, delle differenze. Qual è il rumore del futuro per costoro? Il breve rumore di questa bomba, e il lungo silenzio che ne seguirà. Ma su, non preoccupatevi troppo.

– E la nube radioattiva sulla città? – disse cupo Lello.

– Ma quale nube atomica, è smog nella norma. Mica avrete creduto a quella vecchia pazza con la pelliccia. O a quei tre fanatici in divisa. Niente di insolito, il mondo continuerà almeno per altri dieci anni.

– In effetti – disse Lello – il mio telefonino funziona, e questo è un segno di normalità inoppugnabile.

– E vedo laggiù le luci dello Shop Eden regolarmente accese – disse Pilar – ma lei signor... uovo o pallone, o libero pensatore, insomma chi è?

La creatura sembrò afflosciarsi, con un penoso fischio da gomma sgonfia.

– Sono un uovo filosofo disabile tuorlocefalo nato probabilmente da gallina ammorbata, un povero embrione incapace di volere e volare, gli vanno somministrati cinquanta calci al giorno e due fiale di Medèn. Ma ho un cuore rosso e un'anima albuminosa assolutamente unici e singolari. La gente pensa che le uova siano tutte uguali e in effetti così può sembrare, se le guardi distrattamente. Ma ci sono molti modi di essere uovo: alcuni vivono in comunità altri si isolano, alcuni sono muti altri gridano, alcuni vegetano altri portano in giro la loro indomabile vitalità, c'è chi si fa una famiglia e chi vive da solo tutta la vita. Siamo fantasticamente diversi. Niente come noi somiglia al mondo, perché il mondo è un mostro.

– Ci mancava anche questo. Un uovo impazzito – disse sottovoce Lello.

– Però è simpatico – disse Pilar – possiamo fare qualcosa per lei?

L'uomo-uovo non rispose, fece un'inspirazione come se volesse succhiare tutta l'aria del mondo, e iniziò a gonfiarsi. Si dilatò a dismisura torreggiando imponente al centro del prato. Sulla sua superficie si disegnarono macchie simili a continenti e mari. Sulla testa gli crebbe una nuvola, come una bizzarra parrucca. Iniziò a scricchiolare e a riempirsi di crepe.

– La terra è un mostro – tuonò l'uovo gigante – siamo tutti mostri!

Ed esplose, trasformando il prato in una marrana di albume e tuorlo, un viscido stagno da cui Lello e Pilar uscirono aggrappandosi al terzo anello di fumo.

Subito cercarono i resti dell'uomo-uovo. Ne trovarono il mezzo guscio superiore, con gli occhi e la bocca.

– Poverino – disse Pilar.

– Una vita preso a calci – sospirò Lello.

– Niente affatto – disse il guscio con voce bassa e roca – sapete, anch'io qualche volta ho avuto degli amici. Uno con la faccia da cavallo, uno che camminava su un filo di fiato, uno politropo. Sai cos'è un amico? Uno che non ti vede come un rosario su cui sgranare le proprie assoluzioni, ma come qualcosa di complicato e doloroso che cammina insieme a te, qualcosa che non capisci mai fino in fondo e che ti invade. Mentre tu parli io mi alzo da quella sedia e vado a vedere il mondo. Mentre io parlo tu ti siedi e scopri che sei muto e senza fiato, con la testa inchiodata e le mani incapaci di parare i colpi. Poi la vita ci darà strade diverse. Tu prenderai tutta la gioia che puoi, io mi accontenterò di sognare a una finestra, tu soffrirai per piccoli grandi dolori, io ti invidierò per questo. Il luogo ove si incontrano la nostra amicizia e la nostra invidia è un luogo raro, e basterebbe che tu lo ricordassi sempre perché io sia, una volta per tutte, rispettato.

Ciò detto, si sbriciolò con un sorriso.

Il quarto anello di fumo portò Lello e Pilar alle loro case come un tappeto volante, e li depose alle usuali cure.

Nota dell'autore.
Caro Odisseo. Ho trovato il tuo farmacon sulla scrivania. Non potendo fumarlo, l'ho brucato. Forse ha avuto qualche ef-

173

fetto, nel labirinto dei miei neuroni. Sono stato scortese con te, e sarà nobile da parte tua perdonarmi. So che stai passando un brutto momento. Ma tu sei una mosca nella bottiglia, io un pesce nella rete.

Domani, come sai, c'è una cena su cui gravano funesti presagi. Forse venderanno la mia casa e mi esporranno in qualche zoo. Mi piacerebbe che tu venissi a tenermi compagnia, perché non saranno ore liete per me. Potremmo bere insieme un sano frappé purgativo, fare fantasie erotiche eptasessuali e parlare di Bach. Vieni prima, alle diciotto. Dopo arriveranno auto blu e scorte armate. Un ultimo avvertimento. Per farmi perdonare degli insulti, non importa che tu sia troppo puntale. Diciamo che ti concedo trenta secondi di ritardo. Dopo, olio di ricino. Ciao Achille.

CAPITOLO DICIANNOVE

Ulisse fu contento di essersi rappacificato con l'amico, ma sentiva aria di bufera. Passò una nuova notte insonne e agitata. Il morbo del fornaio peggiorava. Nel dormiveglia si sentiva come imprigionato da minuscoli dolorosi fili. Si destò del tutto e vide che effettivamente era legato al letto da una ragnatela di corde. Si scosse violentemente, ne strappò alcune. E vide che tutto intorno era scoppiata una ribellione di scrittodattili. Erano usciti dalle loro tane di pagine e avevano invaso la stanza. Ce n'erano sul letto, sulla libreria, sul pavimento, sopra le mensole. La camera si era trasformata in un gigantesco plastico di soldatini. Li guidava il professor Colantuono, in divisa grigia da generale sudista. Al suo fianco il giallista Petrotto, vestito da cow boy, a cavallo di Foxfirst Fantomas. Poi il vigile Polifemo, alla guida di un manipolo di poliziotti-diaristi non sindacalizzati. Sul computer era schierata la tribù degli scrittori di favole, guidati da uno gnomo con alabarda. Sulla scrivania il poeta culturista di *Rambaud* guidava un manipolo di poeti con tabarri neri. Su una mensola si affollavano le amazzoni romanziere guidate dalla scrittrice di *Diario orale* a seno nudo. E ovunque piccoli scrittodattili dall'aria ostile, armati di pennini e graffette, alcuni avevano ancora in mano gli spaghi con cui avevano cercato di legarlo. Due soldatini con la divisa dell'Armata Rossa, uno tondo e l'altro esile, distribuivano un minuscolo volantino.

I lavoratori della Sipel solidali con gli scrittodattili inediti.

– Ti sei liberato delle nostre corde, ma non di noi – disse con aria minacciosa il professor Colantuono.

– Ci hai stancato con le tue scuse e i rinvii – disse il vigile Polifemo. – Anche se hai le tue grane, non per questo devi smettere di leggerci.

– Occuparsi di noi è un tuo dovere – disse un giovane romanziere in divisa da ulano.

– Do-ve-re, do-ve-re – fecero eco tutti.

– Lo farò lo farò, ma cercate di capirmi. Achille malato, la crisi del mio editore, Pilar e il permesso di soggiorno, non ho neanche tempo di respirare.

– Tutte scuse – abbaiò Foxfirst Fantomas – ti eri impegnato a rispondere a tutti.

– Scandalo – gridò un minimalista non più alto di un centimetro.

– Scan-da-lo, scan-da-lo – fecero eco tutti.

– Un momento un momento – disse una figurina vestita di nero, in cui Ulisse riconobbe Franz Kafka – è chiaro che il lettore Ulisse è venuto meno ai suoi impegni. Deve quindi essere punito, per aver tradito lo spirito della setta degli scrittodattili.

– Giusto – urlarono tutti.

– Perciò io lo condanno a svegliarsi domattina sotto le sembianze non già di un enorme immondo scarafaggio, ma semplicemente come un piccolo scrittodattilo qualsiasi. Che provi la triste condizione del non letto, dell'inedito, del non venduto, e che dalla sua superba spocchia di scribacchino e complice della mafia editoriale precipiti giù, nell'inferno dei dannati.

– Ma Franz, tu hai pubblicato – disse Ulisse – e anche io.

– Franz è dalla nostra parte, e tu non riesci più a scrivere – disse Colantuono. – Achille scrive al tuo posto, ormai.

– Si bruci l'impostore – disse una vocina.

– Tagliamogli la testa – disse un'altra.

– Stronchiamolo – disse una terza.

– Mandiamolo al macero – disse una quarta.

– Calma, compagni intellettuali – disse Olivetti – ci penso io. Ulisse, ti impegni tu a leggere d'ora in avanti dieci scrittodattili al giorno dando la precedenza a quelli provenienti dalla classe operaia?

– Non ce la farò mai, siete pazzi – urlò Ulisse.

– E allora peggio per te – disse Olivetti. – Chiamate il colonnello Maragnani e i suoi scrittodattili armati.

– Non è più con noi – disse Petrotto. – Ha appena firmato un contratto di tre libri con la Mondial, quel bastardo fascista.

– Ci penso io – disse una fatina cilestrina uscendo da uno scrittodattilo di favole, puntò la bacchetta su Ulisse e il poverino cominciò a raggrinzirsi, rimpicciolirsi, finché vide gravare su di sé un cielo bianco e frusciante, la pagina immensa di uno scrittodattilo, che si richiuse su di lui e lo schiacciò, come un insetto, sotto una lapide che aveva come titolo:

Qui giace Ulisse. Non rientrava nei nostri programmi editoriali.

Annaspò, cercando di muoversi e liberarsi, e finalmente uscì dal lenzuolo.

E naturalmente si svegliò.

Aveva nevicato, ma senza passione. Ora una fanghiglia nerastra e gelida impiastricciava la città, la gente scivolava e si sconocchiava polsi e caviglie, il traffico era vieppiù caotico e schizoide. Auto slittanti ostruivano la strada, ingiuriate da quelle bloccate. Grandi gipponi invadevano corsie e marciapiedi tronfi delle loro gomme da rally. Motori tossivano penosamente abbandonati da batterie infartate. Allegri monelli lanciavano boli di ghiaccio, un fornaio in canottiera spalava la neve davanti al negozio e cantava *White Christmas*. Una nenia di zampognari precoci assordava i portici.

Ulisse arrivò in redazione con le scarpe fradicie e se le tolse, inquinando l'ambiente. Lo accolse una Circe in calosce e

pantacalze di orbace, meno maga del solito. Non si era truccata ed era assai pallida.

– Come va, bella?

– Bella un cazzo. Vulcano ha detto che se non trova un socio in settimana mi licenzia.

– Ma se non ti ha mai assunto.

– Mi assume ancora meno, cioè non mi paga più.

– Dov'è quell'animale?

– Al telefono da mezz'ora, nel suo ufficio.

Entrò. Vulcano gli fece un cenno di saluto. Sembrava molto impegnato, col cellulare inghiottito dalla mano grassoccia.
Telefonava e davanti a sé aveva strani libri con la copertina
plastificata.

– Facciamo così Paolino. Io ti do tutta la serie di *Fatal Fan-
tasy*. Poi sei giochi di calcio, quasi nuovi e i *Supermarco*. Tutti i *Picchiaduro* con lo sconto del trenta per cento. No, *Smaz-
zola e crepa* non posso scontartelo, è raro. Allora va bene *Smaz-
zola e crepa* quindici euro, gli altri dieci. Poi ho *Dragon Fight*,
Dragon Sword e *Dragon Move Your Body*, tutti sottotitolati in
giapponese. In totale siamo a centonovanta euro. Poi c'è la
serie dei *Porcomond*, nove cassette a sette euro. *Zelda*? No
quello non lo vendo neanche se mi ammazzi. Ti cedo un pezzo di antiquariato, *Pacman*, un collezionista svizzero mi ha offerto mille euro, per te solo cinquanta. *Viali*? No *Viali* no, ti
prego, ci sto giocando io. Non mi mettere in croce. Va bene,
va bene. *Viali* più *Mafiosi* più *Guerra di Troia*. Il totale è tre-
centocinquanta euro. Va bene trecentoventi. Te li porto tutti
stasera.

Clic.

Vulcano si prese la testa tra le mani, sconsolato.

– Ho appena venduto la mia biblioteca di videogiochi
Playstadion e Innuendo. Non avrei mai pensato di ridurmi
a questo.

– A chi l'hai venduta?

– Al figlio di un mio amico, un orrido speculatore di undici anni.

– Stai facendo la commedia, vero?

– Purtroppo no – disse Vulcano – non ho più neanche i soldi per le sigarette, per pagare l'affitto mi sono svenato. Ci vorrebbe un'iniezione di capitali.

– Ho capito ho capito, ci vuole un socio. Ne riparleremo.

– Grazie Lello, sei un amico – disse Vulcano riprendendo il sorriso. – Potresti telefonare a Presenti, forse ci fa la prefazione a *Over 100*.

– Ma Valerio, figuriamoci se lo becco.

– Prova, ti prego. I narratori obesi sono la nostra ultima risorsa per non morir di fame.

– *Sono Ulisse della casa editrice Forge, signorina, e vorrei parlare con...*

– *Il professor Presenti è all'estero ma riceverà gli studenti il dodici febbraio dalle quindici alle quindici e quarantacinque. Si vuole mettere in lista di attesa?*

– *Non sono studente, è per una prefazione.*

– *Riguardo alle lezioni, il professore farà la prossima il nove marzo alle dieci, se sopravvenissero impegni il dodici giugno sempre alle dieci.*

– *Ho detto prefazione, non lezione, è per un libro.*

– *Per interviste sui suoi libri chiami l'ufficio stampa giovedì dalle nove alle dodici.*

– *È un libro sui problemi dei giovani scrittori obesi.*

– *Per le firme di solidarietà chiami l'ufficio Appelli a questo numero...*

– *Ma insomma, non posso parlare direttamente col professor Presenti?*

– *Certo.*

Si udì uno stacco musicale, "Pavane pour une enfante défunte".

– *Qui la segreteria personale del professor Presenti. Se volete reclamare per un refuso premere il tasto 1.*

– *Per giurie letterarie, il tasto 2.*

– *Per reclami sul calendario degli esami, il tasto 3.*

– *Per collaborazioni a riviste o prefazioni, il tasto 4.*

Fu premuto il quattro.

– Se la casa editrice è straniera premere cancelletto, se è italiana premere asterisco...

Asterisco.

– Se la rivista paga sotto i mille euro premere cancelletto, sopra i mille asterisco...

Cancelletto.

– Se si tratta di rivista filosofica premere 1, rivista letteraria 2, storica 3, underground 4.

– Ma vaffanculo.

– Per insulti in lingua italiana premere il tasto 1, per insulti in lingua inglese il tasto 2, per insulti in greco antico...

Clic.

Aveva appena finito la calda e intima telefonata, che in qualche parte del suo abbigliamento suonò il telefonino. Era una tasca interna del giaccone ed era Pilar. O voz triste y débil.

– Ciao Ulisse.

– Ciao. Qualcosa non va?

– Allo Shop hanno riassunto metà delle ragazze.

– Bene.

– Naturalmente io non ci sono. Però sono contenta, ho lottato anche io, ho piacere per le mie compagne. Ormai sono una star delle discoteche, mi arrangerò.

– Sei brava e coraggiosa Pilar. Ma perché sei così triste?

– È arrivata questa, te la leggo.

La invitiamo a presentarsi il giorno 27 novembre all'Ufficio controllo immigrazione per comunicazioni importanti riguardanti il suo permesso di soggiorno.

– È dopodomani, Ulisse.

– Magari non è niente, un normale controllo di routine.

– Speriamo. Però ho una paura matta. Non vorrei che il direttore dello Shop Eden avesse telefonato in questura, per vendicarsi dei casini sindacali.

– Quello? Ma quello non conosce nessuno in questura, mica è il Gran Maestro della Loggia.

– Non ci vuole un Gran Maestro, basta un piccolo stronzo. Senti possiamo vederci stasera? Sono giù, ho bisogno di apoyo, di sostegno.

– Stasera, Pilar, devo tener compagnia a un amico, dopo ti racconterò tutto. Ti giuro che non porta la minigonna, non gli donerebbe. Facciamo così, alle undici mi libero, vienimi a prendere da lui.

– Va bene, dammi l'indirizzo. Ma sii puntuale.

– Alle undici spaccate davanti al Crepa, quel palazzone in centro, hai presente? Di fianco all'entrata principale della banca, c'è un voltone, e un cortile con dentro il Laocoonte masochista, una brutta statua marmorea. Tu entra nel cortile e aspettami lì.

– Ci sarò.

CAPITOLO VENTI

Continuò a nevicare tutto il pomeriggio ma la neve non faceva presa e invece della bianca coltre si era formata una bigia colla, una maionese polare che invischiava tutto. Fuori dall'urbe plutopolita invece file di auto bloccate sulle autostrade, con episodi di cannibalismo e bagarinaggio di biscotti, paesi isolati, frane, slavine. Zeus sferrava l'ultimo attacco al Duce e ai suoi servitori. L'inverno annunciava quindici nuovi tipi di virus e diciotto nuovi modelli di telefonino. L'economia boccheggiava. Gli operai licenziati volevano bloccare i treni, che però erano già stati bloccati dalla neve, perciò si accontentarono di bloccare qualche autobus qua e là. Il dragobruco Tredici aveva già venti minuti di ritardo, e Ulisse imprecando contro i compagni che non capiscono le esigenze dei compagni si decise ad andare a piedi e attraversò la tundra, fino in centro. La neve ora cadeva più fitta su vecchiette slogate esanimi al suolo e auto ibernate. Ulisse aveva indossato un impermeabile verde comprato al mercatino, residuo di qualche baleniera. Sembrava una gigantesca rana spiegazzata. Incrociò l'ennesimo zampognaro precoce e un paio di questuanti a cui elargì generosamente mezzi euri. Entrò nel voltone e vide che tutto era stato pulito, e gli alberi potati. L'auto blu Maldive di Febo era sigillata in un gigantesco profilattico argenteo. Anche Laocoonte sembrava meno brutto del solito. Ulisse guardò se c'erano nemici in vista, poi salì. Non gli aprì la madre, ma un ragazzo in giacca bianca dai tratti inequivocabilmente tailandesi o filippini che lo apostrofò in infinitese.

– Lei essere invitato o amico Ulisse?

– Amico Ulisse.

– Allora signora dice cucinare.

– Io?

– No, signora adesso cucinare per party di stasera. Invece lei deve assolutamente fare compagnia ad Achille.

L'irruzione dell'indicativo presente spronò Ulisse, che entrò nella stanza dell'amico senza aspettare il campanello. Achille sembrava allegro. Aveva in testa una papalina rossa da gnomo e calzettoni gialli da montagna. Il naso gli colava e sulla scrivania c'era un vassoio con un trancio di torta.

– Febo generoso ha pensato a me – disse con voce raffreddata – vuoi avere l'onore di imboccarmi?

– Bravo fesso – disse Ulisse – hai voluto restare in terrazzo sotto la pioggia e ti sei ammalato.

Io sono un albero, la pioggia mi fa bene.

Tu sei uno zuccone – digitò Ulisse sulla tastiera.

Anche a scuola facevamo i duetti al computer.

– Sei stato a scuola?

Un istituto specializzato in achilli e simili, tanti anni fa. C'erano degli idioti bigotti, e qualche brava persona, ma non ce la facevano con me. E poi non andavo d'accordo con i miei compagni di classe. Ti sembra strano? Ci odiamo anche tra di noi, proprio così. Ci amiamo anche, naturalmente. Avevo un amico, il mio Patroclo. Facevamo le gare di corsa nei corridoi, io con Xanto e lui con Ribot, la sua cavalcatura. Poi lui peggiorò. Alla fine aveva una sedia speciale, la comandava soffiando dentro una cannuccia, camminava con un filo di fiato. Poi morì. Io ne feci di tutti i colori, toccavo culi e bestemmiavo in aramai-

184

co. Mi sospesero, tornai, ma ebbi tre crisi in una settimana. Mi lasciarono alla mia autodidattica.

– Non me lo avevi mai detto.

Ci sono tante cose che non ti ho detto. Anche in una vita immobile si muovono molte cose. Sono stato un privilegiato. Mia madre e mio padre mi hanno dato una cultura, come si usa dire. Ho letto come un pazzo per anni. Ho avuto in dono una buona vista, gli occhi sono il mio pezzo più pregiato. Oltre che la mia indomabile durlindana, naturalmente.

– Vuoi che ti racconti delle sei cubiste sei?

No, sarebbe troppo.

– Allora posso dirti che stasera verrà Pilar a prendermi. Alle undici le ho detto di entrare nel cortile. Magari puoi sentire la voce.

Geloso testa di cazzo, perché solo la voce? Devi farmela vedere! Giura. Dietro la libreria grande c'è una finestra che dà proprio sul cortile. Giura che me la fai vedere.

– Calmati Achille, hai le mani che ti frullano. Diventerò geloso davvero. Non preferisci immaginarla?

L'ho già immaginata. Voglio rivederla.

– Non dirlo come se fosse l'ultima volta.

Achille rise e indicò con lo sguardo la scrivania imbandita.

Mangiamo, o mio sodale. Questa torta celebri la nostra amicizia, come tra gli antichi achei si spartiva la sacra focaccia, l'offa micenea, e poi si libava e ci scappava qualche virile inchiappettata come in tutte le caserme, e si andava a sbudellare troiani con l'ingerenza di molti dèi che non avevano di meglio da fa-

re... Tu salvasti la pelle come sempre, io no. Il dottor Dardani mi fulminò con un'endovena scoccata da trenta metri.

– Accetta questo cibo nel nome del Signore – disse Ulisse imboccandogli panna e ciliegina. Achille ingoiò.

Grazie dio Febo per i trigliceridi che ci doni. Sarò orgoglioso di te, quando ascenderai alle più alte cariche dell'economia e della politica. Un fratello gangster, chi l'avrebbe mai detto! E pensare che da piccolo voleva fare il pilota di bombardiere. E come tu sai, un guerriero pellerossa...

– Stavolta ho capito.

Bravo. Nutrimi, Odisseo.

– Accetta questa pasta sfoglia che tua madre Teti fece con le sue mani, mescolando conchiglia tritata, coralli e squame di scorfano.

Il boccone andò di traverso, Achille strangozzò e lo sputò a un metro. Seguirono bestemmie. Ulisse lo ripulì alla meglio. Bevvero un'aranciata e ruttarono come flicorni. Poi si udì la prima scampanellata. Il primo invitato aveva asceso lo scalone. Achille chiese a Ulisse di trovare il *Quartetto in la minore*, op. 132 di Beethoven e di metterlo a buon volume.

Non possono censurarmi Beethoven, anche se è un disabile sordastro. Non voglio sentire entrare i congiurati.

Passò più di un'ora, forse due. Achille sonnecchiava, Ulisse esplorava le librerie, trovò una vecchia edizione del *Gordon Pym* di Poe, con delle bellissime stampe. In una Gordon Pym arrivava alla fine del viaggio, al grande fantasma bianco e misterioso. Il chiaroscuro a china riusciva a evocare, nel niveo della pagina, una tonalità ancor più luminosa di bianco, una specie di anima della carta. Non trovò solo libri, ma oggetti usuali quali due vecchie batterie di Xanto, una scorta di pannoloni titanici, e una foto di Achille da piccolo. Sembrava proprio un marziano, ma tutti i bambini sembrano marziani. Esplorò le viscere di una pendola, e altri vecchi oggetti di quella stanza immobile dall'inizio del mondo. Ascoltò il rumore scricchiolante, immaginò un topo che rosicchiava un libro. Poi un piccolo tonfo. Ebbe la visione del topo che fuggiva, inseguito dal mostruoso gatto nero di Poe. Si sentiva quasi a casa sua. La sinfonia finì, e si udì uno scoppio di risa dei convitati.

– Dèi del mare e degli alberi – disse Achille – puniteli.

A quell'invocazione le luci si spensero. Tutta la casa piombò nel buio. Ulisse guardò dallo spiraglio della finestra. Anche la città era buia, la neve aveva schiantato ogni dinamo e convettore. Nella casa si udirono voci preoccupate, e rumore di passi incerti.

– Apri la porta – disse Achille.

– No, abbiamo promesso di no.

– Aprila solo un po'... Voglio sentire cosa dicono. Adesso sono al buio, ciechi, inchiodati sulle sedie, anche loro come me.

Ulisse aprì la porta, e si udì il commento alla catastrofe...

– È andata via la luce – disse drammaticamente una voce di donna.
– Un blackout – precisò un anglista.
– In tutta la strada – aggiunse una voce bassa, nientemeno che il Venerabile Forco – e forse in tutta la città.
E il tono lasciava intendere: forse in tutto il mondo, e nel cosmo, e le stelle sono spente e un buco nero sta per ingoiare ogni forma di vita e ogni orbita.
– Bisogna che qualcuno vada a prendere una candela – esclamò una voce pragmatica.

– Anche due – precisò una voce lungimirante.

– Speriamo di averle – disse la madre.

Seguì un atterrito silenzio. Quegli umani così potenti e ardimentosi, usi ad affrontare processi e barricate, ingorghi di traffico e resse negli stadi, ora tremavano di fronte a quella catastrofe primordiale, regrediti ad australopitechi con carta di credito, pitecantrope ingioiellate, ominidi in mammut firmato.

– Vado io a prendere la candela – disse Febo.

Un fremito di ammirazione percorse il branco. Un uomo, armato solo di coraggio, per pura solidarietà verso i suoi simili, affrontava il buio ostile di una casa di ben trecento metri quadri, per trovare una candela salvatrice, sfidando spigoli e stegosauri. C'era da dubitare che a un uomo simile si addicesse la carriera politica? Tutti ristettero intenti e tremanti seguendo il passo di Febo che risuonava nel corridoio. Al fioco lume di uno zippo il coraggioso si avvicinò alla stanza di Achille, sbatté contro una sedia e bestemmiò compostamente, quindi aprì un armadietto tuttofare. Si bruciò il pollice con l'accendino, di nuovo maledisse gli dèi, ma di lì a poco ebbe in mano l'agognata candela, la accese, altre le mise in tasca. Poi, d'un tratto, il coraggio lo abbandonò, e volle tornare di corsa al suo branco, ma essendo come tutti gli eroi per metà invincibile e per metà idiota, correndo spense la candela, secondo un'elementare legge fisica. Riaccese la candela, il caparbio prometeico, e stavolta procedette lentamente. Poco dopo un crepitare di applausi annunciò il ritorno dell'eroe. Un uomo simile ben meritava un posto in parlamento!

– Ehi – disse Achille – divertiamoci anche noi. Accendi le candele e mettile su Xanto. Due sulla spalliera e due sui braccioli.

Ulisse eseguì. Ora l'amico sembrava una divinità immobile sul trono.

– Andiamo in terrazzo – disse Achille – fratello buio ha conquistato il mondo. Voglio vedere la città ai miei piedi.

– Non possiamo uscire dalla stanza – protestò Ulisse – l'ho promesso a tua madre.

– Dai, approfittiamo dell'oscurità, ci metteremo un attimo, non se ne accorgerà nessuno. Dalla sala da pranzo non si vede il finestrone del terrazzo. Non perdiamo tempo, questo blackout è un segno degli dèi.

– Va bene – disse Ulisse – ma ti spingo io. Xanto fa troppo rumore.

Indossò l'impermeabile verde, sistemò la papalina di Achille e lo strano veicolo da un altro mondo uscì in corridoio. Un trono di candido marmo tetraluminescente, che procedeva silenzioso su ruote. Sopra, una creatura con cresta rossa e piedi gialli da papero, con un volto che pareva intagliato nel legno, fronte ampia e bocca dentuta, un idolo metà uomo e metà bestia. Forse Podasokus, protettore degli alberi della giungla e dio della notte. Lo seguiva un sacerdote o forse una seconda divinità, un uomo ramarro con la pelle verde, forse Ulikasi, dio poligamo e politropo, protettore degli scrittodattili e delle cubiste. Andavano verso il Sacro Terrazzo dei sacrifici, al lume rituale delle fiaccole. Quando furono davanti alla porta del tempio, udirono vicino a loro tinnire di posate, risate e cachinni. I mortali mangiavano, il loro misero tempo metabolico aveva già esorcizzato la paura del buio, il silenzio suggerito da quel cosmico avvertimento era profanato da battute su presunti toccamenti, piedi che si avviluppavano sotto al tavolo, perfino un peto ribaldo non rivendicato, nonché accuse agli errori di elettrificazione dei precedenti governi, ereditati dall'incolpevole Duce.

– Apri la finestra – disse Achille.

Ma il Fato, che era in agguato nascosto in qualche piega di quel buio eterno, colpì. Una goccia di cera bollente colò sulla mano di Ulisse, posata vicino ai comandi di Xanto. Il dolore fece fare a Ulisse un gesto scomposto col quale spinse il joystick nella posizione più avanzata, quella che scatenava il galoppo del destriero. La Xantomobile partì alla pazzesca velocità di nove chilometri all'ora. Achille si vide proiettato contro il finestrone chiuso e riuscì a sterzare all'ultimo momento, verso sinistra.

Ma a sinistra c'era la sala da pranzo.

Questa fu la scena che apparve ai commensali atterriti.

Dal buio sbucò un carro di fuoco, guidato da un mostro dall'enorme cranio pallido, piombò sul carrello dei bolliti spargendo viscere e brodi, rimbalzò su un secondo carrello fracassando noccioline, e infine si schiantò contro il tavolo, ribaltando la signora Forco, il dottor Dardani e un noto penalista.

Gli sguardi di tutti si rivolsero all'invasore, attendendo i prossimi crimini. Achille fece un piccolo gesto di scusa.

– Cos'è questa cosa con le candele? – gridò atterrita la signora Forco.

– Sono la torta – disse Achille – auguri, Febo.

La luce tornò improvvisa, a rischiarare il dramma. Febo iniziò a spiegare l'accaduto usando ogni tonalità dialettica, dall'ira alla compassione, dalla cruda verità medica a un lamentevole simulato pianto, conscio che quello era il suo esame da mentitore. La madre riaccompagnò Achille in camera senza rivolgergli la parola. A Ulisse disse sottovoce:

– Non me la aspettavo, lei ha tradito la mia fiducia.

– Signora, le giuro, è stato un incidente – disse Ulisse.

La porta si richiuse dietro di loro. Achille sorrideva, odoroso di consommé.

Non è stato un incidente. Questo il Fato ha filato per noi. Xanto ha volato da solo.

– Mi dispiace, mi dispiace – disse Ulisse, con la testa fra le mani.

A me no. Mi sono divertito, non mi ero mai sentito un dolce. Ecco un buon uso che potrebbero fare di me. Mangiarmi. In umido. O al feu de bois. Carne eri, carne ritornerai.

– Achille, te la faranno pagare. Come fai a riderci su?

Ridere dei piccoli dolori è sollievo dei deboli. Ridere sull'abisso è proprio degli eroi.

– Sei uno snob epico-simbolista.

E anche spastico-sofista. Ma adesso terminiamo bene questa serata. Anche se non ho fatto il bravo ragazzo fammi vedere Pilar.

Ulisse guardò l'orologio, erano quasi le undici. Stava per scordarsi l'appuntamento. Girarono dietro la libreria più grande. Lì c'era una finestra che Ulisse aveva sempre creduto murata, coperta da un tendaggio mimetico alla tappezzeria. Aprì la tenda e le imposte, il freddo strisciò dentro, le persiane avevano l'aria di essere bloccate da secoli. Dovette aprire il fermo picchiando con un libro. Tirò forte e le persiane si aprirono con uno schianto, sputando polvere e schegge di legno. La stanza fu subito invasa dal gelo. Ulisse mise sulle spalle dell'amico lo scialle da suora vampira. Ma Xanto era basso, il davanzale alto, e Achille non riusciva a vedere giù nel cortile. Allora Ulisse lo prese in braccio. Pesava come un bambino, non si era mai reso conto di quanto fosse magro. Achille gli posò la testa ciondolante sulla spalla. Erano una statua adesso, una Pietà per palati forti, una statua poco illuminata sul cortile pieno di neve.

Spero solo che Pilar sia puntuale, pensò Achille, e Pilar arrivò. Entrò camminando con cautela per non scivolare. Il berretto peruviano orecchiuto le copriva i capelli, sembrava un elfo, un buffo elfo dagli occhi grandi.

– Pilar – la chiamò Achille, lei alzò lo sguardo e vide quella cosa alla finestra, quelle due creature abbracciate in uno strano modo, e quattro occhi che la guardavano. Una mano la salutava.

– I capelli – disse sottovoce Achille, guardandola incantato.

Come se Pilar avesse inteso quel richiamo, si tolse il berretto, la cascata di capelli neri le coprì le spalle. Li scrollò, ne cadde una polvere di neve. Poi fece un gesto a braccia spalancate come a dire: lo vedi dove sono capitata, io tipica bellezza latina, in mezzo a questa sconsolata Siberia. E accennò un passo di danza, un samba di sfida al gelo.

Achille pronunciò alcune parole confuse e incomprensibili. Il suo respiro era affannoso. Poi disse:

– Rimettimi giù Ulisse. Vai da lei.

– Calma, che fretta...

– Sì, ho fretta. Mancava l'ultimo capitolo alla storia, devo scriverlo.

Ulisse lo sentì scivolare dalle sue braccia e fu come se si separassero, come se l'amico fuggisse lontano, molto lontano. Reagì a quella brutta sensazione, chiuse la finestra e cercò di parlare ma Achille non rispondeva. Stettero un po' in silenzio, poi si salutarono in fretta.

Ulisse scese gli scalini di corsa, abbracciò Pilar e la baciò appassionatamente sotto gli occhi di Laocoonte innevato e della scorta di Forco. Sempre di corsa lui e Pilar raggiunsero la fermata dell'ultimo dragobruco della notte. Dentro al suo caldo stomaco, percorsero le strade del centro. La città era quasi bella, ridisegnata dalla neve, gli alberi bianchi svettavano superbi, più belli di ogni insegna e vetrina.

– Ora mi spiegherai che razza di amante ti sei fatto – disse Pilar.

– È una lunga storia – disse Ulisse.

CAPITOLO VENTUNO

Da: musomania@liber.it
A: forgedit/lellulisse@liber.it

SOLO IL DOLORE INSEGNA COS'È LA VITA SENZA IL DOLORE. Così era scritto su una lastra di marmo, all'entrata della clinica Filottete... La clinica era la più lussuosa della città e il suo primario, professor Lello Pistori, il medico più stimato e alla moda. Ne aveva fatta di strada dai tempi della laurea, centodieci e lode con una tesi su *La sindrome macrocranica dolce in pazienti grafomani, il caso dell'uomo-torta*. Poi la lunga trafila da medico di reparto, la necessaria iscrizione a una loggia massonica, fino ai primi successi e alla consacrazione come neurologo di fama internazionale. Per la clinica Filottete bisognava prenotarsi mesi prima. Un atrio che sembrava la hall di un aeroporto, reparti modernissimi, fiori dappertutto, infermiere che sembravano cubiste. E inoltre, qualcuno guariva.

Anche quella mattina il professor Lello era in visita ai pazienti, ma visita era termine riduttivo, diciamo sfilata, trionfo, esibizione tra ali di giovani precari adoranti, e con la ruffianissima scorta dei professori Colantuono e Dardani. Sì, aveva proprio tutto il professor Lello: carisma, soldi, prestigio. E una bellissima moglie, Pilar de Patoreal, ricca ereditiera sudamericana conosciuta nel reparto cardiologia. Lei aveva un dolore al petto, lui la rassicurò prima con un elettrocardiogramma, poi con varie cene, poi col matrimonio.

Pilar, elegantissima in tailleur rosso muleta, entrò nella clinica e si diresse con piglio padronale verso il banco informazioni, ove bianca splendeva la bella segretaria Briseide. Tra le due corsero sguardi di fuoco, per via di certe voci di corsia che riferivano di un supposto amplesso tra Briseide e Lello dentro il tubo della Tac.

– Mio marito è in visita?

– Sì – disse Briseide – ne avrà per un'ora.

Pilar percorse con schioccar di tacchetti il corridoio degli ambulatori, e prese l'ascensore per il terzo piano, reparto neurologia. Lì si diresse verso la suite tredici. Bussò. Dall'interno venne un doppio scampanellio.

Nella suite, tra fiori, telegrammi e giornali sportivi, stava Jean Achilles, il grande pilota di Formula uno, ridotto su una sedia a rotelle. Dopo l'incidente di Montecarlo, poteva muovere solo la testa e le mani, aveva una gamba ingessata e portava sempre un cappello di lana, poiché aveva metà volto sfigurato, ma i suoi meravigliosi occhi castani testimoniavano l'antico fascino che l'aveva reso un sex symbol per milioni di donne. Guardò Pilar con passione e disse:

– Sciogliti i capelli.

Lei se li sciolse. Poi si tolse la gonna e la camicetta, mostrando un composé di lingerie peruviana irresistibilmente sexy. Con tipica foga latina balzò su Achilles e gli sbottonò i pantaloni. Achilles era famoso per le sue partenze veloci, e in meno di un secondo eresse il celebre pistone, attorno al quale la bocca di Pilar iniziò a danzare. Achilles chiuse gli occhi, aspirando il caratteristico profumo di lei all'essenza di mela.

Ma l'esame orale fu breve perché subito Pilar fu in piedi e poi nuda, ansando.

– Non resisto più, Jean – disse – ho sognato questo momento tutta notte.

E con un balzo si conficcò in lui, facendo vibrare la struttura della sedia a rotelle. Quindi selvaggiamente lo cavalcò. A ogni colpo di reni la sedia si spostava di mezzo metro, fino a che non ebbe compiuto un giro completo della stanza. Poi Pilar prese l'amante in braccio, lo sollevò con forza inusitata e lo depositò sul letto, sempre a cazzo dritto. Salì agilmente sull'armadio e da lì si lanciò con incredibile precisione ottenendo una fulminea sodomia.

Consumato anche questo atto, sistemò abilmente le pulegge atte a sostenere la gamba ingessata del pilota. Sospese Achilles per il collo e i piedi alla trazione, in posizione alto-orizzontale, col culo verso il soffitto e il cazzo puntato in basso. Poi si sdraiò sul letto a gambe larghe e azionando il motore della trazione, cominciò ad abbassare l'amante protuberante verso il bersaglio della sua topa. Sì, urlò, io sono la luna e tu il modulo, io il giacimento e tu la trivella. Non era solo bella, ma anche perversa e fantasiosa. Jean Achilles moltiplicò, se possibile, la vigoria della sua erezione e i due erano ormai a pochi centimetri dall'agognato impatto, quando la porta si aprì e apparve il professor Lello con ventiquattro tra colleghi e paramedici.

– E queste – disse – sono le nostre nuove tecniche di riabilitazione.

Tutti risero. Che classe il professore, anche in quei momenti.

PS. Ti aspetto oggi alle tre, per l'ultima sorpresa. Ciao: Jean Achilles.

Ulisse rise di cuore. Se l'amico aveva ancora quelle riserve di humour non tutto era perduto. Forse l'incidente era stato ridimensionato, forse anche Febo era riuscito a riderci su. Solo quell'"ultima sorpresa" lo inquietava un po'.

Pensava tutto ciò in pigiama da carcerato, davanti a una finestra velata di vapore. Era tarda mattina e poltriva ancora davanti al computer. Fino a notte inoltrata, aveva raccontato a Pilar la storia del suo incontro con Achille, e lei lo aveva ascoltato. Poi dopo un promettente scambio di baci, lui aveva detto fremente: adesso non sai cosa ti faccio. E in effetti l'aveva sorpresa. Dopo un timido tentativo di incursione, era crollato per la stanchezza, e si era raggomitolato a dormire.

Alle dieci quando si era svegliato, lei non c'era più, gli aveva lasciato un biglietto: *A presto, amori miei.*

Nella testa di Ulisse si affollavano le parole della notte. Avevano deciso che, poiché sul documento della questura era prevista la delega, sarebbe andato lui. All'inizio la tipica bellezza latina non voleva, poi si era lasciata convincere. In effetti, aveva ammesso, non escludo che alla prima battuta sulle mie tette potrei addentarlo alla garganta. Se Pilar era troppo pasionaria, Ulisse era un gran figlio di pagnotta. Dire bugie era una sua specialità. Allora mi difendi, mio hidalgo? gli aveva sussurrato lei all'orecchio. Lui aveva risposto: io difendo la tua, ma anche la mia vita perché senza te yo soy perdudo. Perdido, lo aveva corretto lei, un poligamo politropo non può parlare in romantico ispanico.

Poi Ulisse attraversò la città, fino al quartiere plutopolita dove troneggiava il palazzo di Achille. Nel cortile la neve si era sciolta, e una grondaia scaricava proprio sul cofano dell'auto di Febo. Tragedia in vista. Ulisse consultò l'orologio e si accorse che era in anticipo. Comprò un giornale e si sedette a leggere su una panchina con vista sul culo del Laocoonte. Grandi notizie: gli americani minacciavano la Cina: siete troppi e state consumando troppa acqua. Seguiva intervista con il colonnello best seller Maragnani: bombardateli prima che sia tardi. Notizie dall'interno: il governo votava una nuova legge per l'impunità parlamentare compreso il pluriomicidio, ma i processi del Duce erano ormai cinquanta, si pensava di celebrare il grande risultato con una cerimonia. Maltempo: franavano anche le frane. Cronaca cittadina: Febo nuovo amministratore del Crepa. Sport: quasi guarito il menisco di Mironi. E poi, titolo di taglio basso.

Indagine Usa: i pornofilm rendono gli uomini insicuri.

Dopo la notte di castità con la sua adorata Pilar, abbiamo intervistato Ulisse Isolani, il grande divo del Pocoporno, ovvero il porno rassicurante. Il mercato a luci rosse era in crisi, poi-

ché i suoi grandi falli e le interminabili cavalcate deprimevano i normali amanti maschi, che non acquistavano più le videocassette. Contro questo pericolo è nato il Pocoporno, ovvero i film a luce rosa, in cui si vedono attori con uccelli mosci, semierezioni tremolanti ed eiaculazioni precoci. Il divo più celebre di questo nuovo genere cinematografico è Ulisse Isolani, che insieme alle pornostar Circe Curly e Pilar Duck ha girato capolavori come "Nove secondi e mezzo", "Neverhigh" e "Se lo trovi godrai". Gli abbiamo chiesto: qual è il segreto del suo non farcela mai?

Aiuto! gridò Ulisse.

– Mi dai una monetina? – disse una voce.

Ulisse si svegliò. Davanti a lui c'era un ragazzo ciondolante e pallido.

– Te la do, ma mangia qualcosa, non vedi come sei ridotto?

– Io almeno non mi addormento sulle panchine – disse il ragazzo.

Ulisse cercò una risposta adatta, ma non la trovò. Stirò le membra intirizzite e lentamente salì lo scalone del palazzo. Il quadro di san Giorgio non c'era più, era rimasto un grande spazio chiaro sul muro. Chi l'aveva tolto?

La madre lo attendeva con un vestito nero e lo fece sedere nel salottino delle conchiglie. Aveva gli occhi rossi di pianto, e una voce fioca e severa.

– Abbiamo deciso, signor Ulisse. Achille entrerà in clinica.

Ulisse crollò a sedere.

– No – disse.

– Dopo le... stranezze di ieri notte, ha avuto una bruttissima crisi. Stava per soffocare. Delirava, pronunciava degli strani nomi spagnoli. E poi ha la febbre, un principio di polmonite. L'ho difeso per anni, ma ora capisco che se resta qui morirà in poco tempo. Ho salvato un po' della sua dignità, ora salverò quello che resta della sua vita. Anche lui è d'accordo, è stato molto giudizioso, si è convinto. Accetta la clinica con serenità.

Parlava in fretta, tormentando il colletto dell'abito. Parlava a se stessa. È stanca, pensò Ulisse, vuole uscire da questo labirinto di pena, vuole salvare quel po' che resta della sua vita, della vita di Teti.

– Io non sono d'accordo, signora. Ma lei è stata vicino ad Achille tanti anni, io solo una settimana. Per me, forse, è facile parlare.

– Lei ha fatto molto per Achille. Non l'ho mai visto scrivere tanto, essere così impegnato. Ma la malattia va più in fretta di lui, più in fretta di quanto noi sperassimo. Mi ha detto che ha un regalo per lei. La prego, venga a trovarlo quando sarà in clinica.

– Verrò, signora.

Entrò, senza aspettare il campanello. Achille era seduto vicino alla finestra, e guardava fuori, attraverso le fessure della persiana. La luce gli illuminava la nuca e i capelli, che brillavano corti e lisci, gli ricordarono la testa di un bambino, il compagno di banco davanti. Si girò con un sorriso. In grembo aveva una grossa busta, e un sacchetto. Si diresse verso il computer cantando una canzone a bocca chiusa.

Sorpreso di avermi trovato lontano dal mio solito buio? Ti confiderò un segreto, Ulisse. Non ho sempre vissuto nel mio acquario di penombra. Anni fa spesso andavo alla finestra e guardavo le persone nel cortile, spiavo le loro conversazioni...

– Achille...

Non interrompermi. Le spiavo, vedevo poco chiaramente le loro espressioni, e non sentivo le loro parole, ma le immaginavo. Fantasticavo che fossero conversazioni felici. Buone notizie, parole galanti, piccole allegrie quotidiane. E forse qualche volta lo erano. Stamattina sono tornato a guardare fuori...

– Achille, ho saputo tutto. Dimmi la verità.

La verità è semplice. Lascio questa casa per entrare in una confortevole, eterna solitudine. Ho vissuto solitario anche qui, ricordi il discorso della stanza senza porte? Beh, credevo che per me non ce ne fossero. Invece ce n'era una, non più grande della tana di un topo. Mi sono rimpicciolito e sono uscito, ho volato. Ora quella piccola meravigliosa porta si è chiusa. Ma io ho visto quanto mondo avevo intorno. Adesso, alla fine della storia, mi accorgo che avrei potuto fare di più. Avrei potuto restare di più in quella scuola. Imparare a scrivere a mano, una parola sola, almeno il mio nome... Consolare mio padre... Cercare di parlare con mio fratello. Avrei potuto fare un annuncio su internet: uomo non bello ma interessante, con sindrome rara, automunito, indipendente se fornito di adeguati pannoloni, cerca compagna bella presenza, o comunque potabile, per breve matrimonio e possibile eredità...

– Piantala – disse Ulisse, tirandogli uno scappellotto in testa – vuoi farmi credere che sei rassegnato?

Sì, vorrei fartelo credere. Ma tu non ci cascheresti, politropo. Sono spezzato, vinto, piegato. Ma questo era nel mio destino. Il tuo è l'avventura, il mio è morire giovane. Io sono caro agli dèi, tu a Pilar. Farei cambio subito.

Ulisse all'improvviso sentì come una scossa elettrica. Si mise a piangere. Pianse silenziosamente, in piedi. Poi fu preso dall'ira. Tirò un calcio al muro, bestemmiò.

Piantala per favore. Non deve dispiacerti. È quello che tutti vogliono. Febo ha finalmente mostrato il suo segreto, il fratello sepolto vivo. Ha raccontato quanto è stato buono a sopportarlo per tanti anni. Lo attende una carriera da parlamentare, ma forse non quella che sogna. Pagheranno tutti, il Duce e il suo funebre corteo. Tutto l'oro del mondo non potrà comprare un respiro in più. Febo vivrà in una casa senza porte chiuse, ma dentro al cuore avrà stanze e stanze di paura. Il dottor Dardani non avrà più davanti agli occhi la prova vivente della sua impotenza, lo storto idolo pagano che irride la vera fede della medicina. Farà su di me un applaudito intervento in una conferenza a Palm Beach. Mia madre, che mi ha donato la vita più di una volta, avrà la possibilità di chiudere i conti col suo sacrificio. Sarò un dolore per lei ma uguale, senza spasmi, un normale figlio da piangere, morto come tutti. Ha il diritto di dimenticarsi di me, ogni tanto. E anche tu dovrai andare avanti e dimenticarmi. Io lo voglio. Solo lei non mi dimenticherà. Pilar, che cambia e trasforma la tua vita e la mia. Pilar che balla nella neve.

– La tua vita non finisce qui – disse Ulisse. – Il professor Lello verrà a visitarti tutti i giorni. Le cubiste si affolleranno intorno al tuo letto per sbranarti, come baccanti. Mangerai il più buon purè ospedaliero che mai umano abbia sognato. Avrai pannoloni dorati...

È vero, non finisce qui. Ci sono ancora i regali. Uno per te e uno per me. Il tuo è quello più grande, come sempre, bastardo. Prendilo.

Ulisse prese la busta dal grembo. La aprì. Dentro c'era uno scrittodattilo in gotico vampirico. Senza titolo.

Ulisse lesse solo il corsivo iniziale:

Cosa succede alle persone cosidette normali quando incontrano di colpo un matto che urla, o le investe di un delirio incomprensibile? Quando vedono qualcuno crollato a terra, o inchiodato da uno spasmo sui gradini di una chiesa? Dopo l'incontro restano immobili, con un'espressione di disagio, di paura o di stordimento. Ma il loro volto è cambiato, è come se fossero state fotografate da una luce accecante, scuotono la testa, parlano da sole, per un attimo anche la loro normalità sembra incrinata. Cos'hanno visto nel lampo di quella luce, quale paesaggio, quale specchio, quale verità insostenibile che dimenticheranno subito dopo, ma la cui immagine resterà per sempre, in qualche recesso buio del loro cuore, nella biblioteca in fiamme della loro vita?

– Che cos'è questo, Achille? – disse Ulisse, e si accorse che, reggendo i fogli, le mani gli tremavano.

È il libro che ho scritto in questi giorni. Non avrei mai pensato di esserne capace. Orrore, sono uno scrittodattilo anch'io. A mia madre, che mi ha aiutato a stamparlo, ho detto che è roba tua. Ed è vero. Tu hai ispirato, io ho raccontato, tu sei stato il Dio e io l'oracolo, tu l'estro e io il supporto, tu il Paracleto e io la Madonna. Non è Beckett ma è un libro strano. E soprattutto, è corto. Mettici la tua firma, pubblicalo, e se avrai successo goditelo.

– Non posso.

Se non lo prendi e non ci metti il tuo nome sopra, lo brucerò. Non capisci che cosa immensa per me è poter fare un dono come questo? Nascere e far nascere, cos'altro?

– Lo pubblicheremo col tuo nome, l'hai scritto tu. Devi affrontare il mondo con le parole con cui lo hai sfidato. Tu sei lo scrittore, Achille.

Io non posso. Ora è il turno del regalo per me. Aprilo.

Ulisse prese dal grembo di Achille un sacchetto di stoffa. Dentro c'erano una siringa, e tre fiale azzurre.

– Cosa significa questo?

È il Medèn, il nulla, fenobarbitolo. Un medicinale che mi danno nelle emergenze. È molto forte e molto servizievole. Ho scoperto dove lo tenevano, dietro i libri di una scansia. Ho fatto cadere i libri a capocciate e l'ho preso coi denti. Anche per crepare devo fare più fatica degli altri.

– Cosa significa tutto questo?

Significa che ora, se mi sei amico, se io e te e Pilar siamo an-cora insieme e tu non mi vuoi tradire per la miseria di una ca-ricatura di etica e un saldo di pietà a buon prezzo, se tu mi vuoi bene Ulisse, metterai due fiale di quella costosissima cicuta nel-la siringa e me le inietterai in vena.

– E cosa succederà?

Occidit qui non servat. Se mezza fialetta mi schianta, cosa faranno due? Balzerò in piedi e volerò fuori dalla finestra, fi-nalmente...

– Achille, non lo farò mai.

Achille lo afferrò, riuscì a catturare la sua mano nella sua. Fu così inatteso, violento, che Ulisse si divincolò con forza.

Hai paura delle conseguenze, omuncolo? Vuoi un alibi? Chi troverà un buco in più tra i tanti segni nelle mie braccia? Chi potrà riconoscere l'ultimo spasmo, tra i miei tanti? Dopo che hai assolto il tuo compito, portati via la siringa e le fiale. Io non posso farlo da solo, ho provato, non ci riesco.

Si accostò a Ulisse e lo guardò negli occhi, dal basso in alto.

– Uccidimi – disse con calma disperazione – uccidimi, ti prego.

– No – disse Ulisse – e queste le butto via.

– Vuoi anche tu che io agonizzi in una clinica? – urlò col poco fiato rimasto Achille. – Vuoi avere ancora il nobile pia-cere di soffrire, guardandomi spegnere al rallentatore? Vuoi dare la colpa a Dio, al Fato, ai medici?

– No.

Achille si chinò sulla tastiera del computer, le sue dita battevano lentamente, sembrava suonassero una musica triste...

Se siamo stati amici, per il libro che abbiamo scritto, uccidimi. O vuoi che te lo chieda per pietà? Non mi posso inginocchiare. Vuoi che pianga? Cosa vuoi? Ci sono tanti modi di uccidere un uomo, perché scegli anche tu il più vigliacco, il più facile, quello che ti salva fino al mattino dopo?

Ulisse stava per gridare, ma sentì rumori nel corridoio, la madre forse aveva sentito le voci concitate. Uscì dalla stanza, come un ladro.

– Uccidimi – sentì ancora gridare.

Scappò giù per le scale, e in strada, e camminò finché fu stremato, in una zona della città che nemmeno conosceva. Allora si accorse che aveva in mano i regali: il libro e le fiale. Si infilò il libro nella tasca del giaccone. Gettò a terra le fiale, le calpestò. Ce n'erano solo due.

CAPITOLO VENTIDUE

Per qualche mistero dell'animo umano Ulisse quella notte dormì senza sogni né incubi.

Una luce rosa avvolgeva la città, il sole scioglieva la neve. Sul dragobruco che lo portava al lavoro telefonò alla madre per chiedere notizie di Achille. Sta bene, dorme, disse lei, ha detto che ieri era un po' agitato ma ora sta meglio. Entrerà in clinica domattina.

Achille sta bene. O finge. O forse finge quando siamo insieme, pensò Ulisse. Nella sua testa c'è sempre dramma, abisso, passione. Dalla tragedia all'allegria, nello spazio di una parola, nel suo cervello collegato al cuore. Non devo farmi trascinare da questa vertigine. Non potevo ucciderlo, questo è certo. La sua vita deve continuare e anche la mia. Devo fare qualcosa per Pilar, devo leggere i miei scrittodattili, devo scrivere. Achille ha invaso i miei pensieri, è un buio immenso, io amo quel buio ma ho bisogno di luce. Sono un albero anch'io.

Camminava nel lamento dei clacson intontito, come se avesse preso lui le servizievoli fiale contro la disperazione. Salì sul sarcofago volante. L'ufficio era desolatamente vuoto. C'era solo un biglietto di Vulcano che diceva:

Ho quarantotto ore per decidere se diventare socio della Grafocredit o no. Non so dove sbattere la testa in questo tempo. Neanche la Playstadion mi è di sollievo. Andrò in campa-

gna da mio figlio, è tanto che non lo vedo. Qualsiasi cosa succeda, non mollarmi. Andremo avanti. Circe ha trovato un nuovo lavoro, in una ditta che ripara computer. Ingrata, con tutti i soldi che non le ho dato. Telefona alla Anastasia. Lo so che è la critica più severa e imprevedibile che c'è in giro, ma a volte fa queste cose. Ti prego. Valerio.

Facciamo un ultimo tentativo, pensò Ulisse.

– *Pronto signora Anastasia? Sono Ulisse delle edizioni Forge.*
– *Dica.*
– *Pubblichiamo un'antologia di giovani scrittori... ehm, di larghe vedute, sopra i cento chili. Si chiamerà "Over 100". Lo so è un'idea un po' del cazzo ma alcuni racconti sono buoni. Farebbe la prefazione?*
– *"Over 100". Beh, divertente. Voi fate dei libri schifosi.*
– *Grazie.*
– *Ma ne avete fatto qualcuno non male. Il saggio della Ronaldo, ad esempio, bel libro, profondo. Anche le poesie di quel ragazzo erano belle. E c'era un libro di racconti, credo "Racconti grotteschi", molto ridondante e narcisista, ma con un certo bizzarro talento.*
– *Grazie.*
– *Al terzo grazie riattacco. Naturalmente non pagate.*
– *Poco.*
– *Naturalmente ho pochissimo tempo per consegnare la prefazione.*
– *Pochissimo.*
– *Va bene, mandatemi il libro.*
– *Vuole dire che scrive la prefazione?*
– *Sì.*
– *Gra... cioè, le siamo immensamente riconoscenti.*
– *È il minimo che potete fare.*
Clic.

Lo fa, lo fa, disse Ulisse, con un salto da canguro. Una cosa buona, finalmente, una persona che assomiglia a ciò che scrive. Andò nello sgabuzzino, a cercare un vecchia copia di "Mai più". Ricordava la copertina, una caricatura di Beckett. La trovò, c'era un'intervista alla Anastasia. La lesse, ne ritrovò la voce, la beffa, la stanchezza. Perché spesso seguiamo ciò che ci porta lontano dai nostri desideri? pensò. Ci inchiniamo alla polemica del giorno, di cui capiamo la pochezza, ma a cui tutti si abbeverano. Ci accodiamo al dipanarsi della chiacchiera di cui non ricordiamo più l'inizio, al ciarlare di chi affolla la fotografia ai piedi del sovrano. E tutto intorno, c'è chi lavora, studia e coltiva idee che dureranno mille volte più di un lampo di notorietà in televisione o su un giornale. Ma tutti, spesso, abbiamo preferito quel lampo alla paziente speranza. Solo quando perdiamo queste persone, i custodi dei semi, delle idee, del giardino nascosto delle parole, ci accorgiamo che non li abbiamo ascoltati abbastanza. Ma imparare l'arte del guardare oltre le luci, nella penombra, nello spazio quasi invisibile tra due pagine chiuse, questa è la sfida. Qualcosa ho imparato, Achille, pensò Ulisse, mettendo a posto le vecchie riviste, spolverandole, riordinando, ricordando.

Lesse un suo pezzo di qualche anno prima. Rovente e frettoloso, pieno della voglia di dire: ascoltate anche me. Ma molte di quelle cose gli appartenevano ancora, erano diventate più difficili, più importanti, ma le riconosceva.

– Alza la spada della matita – disse una voce con accento russo da rivista sul ripiano più alto, nelle vette polverose a un passo dal soffitto.

– Agli ordini – disse Ulisse.

Prese la corazza del cappotto e lo scudo di una cartella, e partì verso una battaglia assai difficile, quella che lo attendeva in questura. Mentre nel ventre del dragobruco andava verso il tetro castello della legge, si sentiva come il cavaliere che va a combattere col drago. Poco importa se il mostro e la bella convivono in serena o erotica armonia, e il drago è più civile della media dei guerrieri del paese. Il drago è l'alibi che serve a ogni eroe per poter menar fendenti e rapire belle e tesori senza pagar dazio. Ma lui era un cavaliere disinteressato, e il dragosbirro è una creatura notoriamente serva del potere. Il cuore gli batteva all'idea della tenzone. Quale politropa tattica usare per contrastare il fiero commissario? Pensò a varie frasi.

Un guerriero pellerossa è cento volte più coraggioso di un commissario.
Lei commissario? così giovane?
Se lei manda via Pilar digiunerò davanti alla questura fino alla fine dei miei giorni.
Anzi digiunerò in piazza fino a Natale...
Anzi digiunerò in piazza tre giorni con l'eccezione di qualche caffè e una merendina equa e solidale...
Ho qui benzina e cerini, mi brucio vivo.
Ho qui benzina e cerini, la brucio vivo.
Ho qui la benzina avrebbe mica un cerino?
Giù le mani dalla mia donna, sbirro di merda.
Sono amico di Stanzani e Olivetti.
Lasci stare Pilar, cavaliere, se ancor dignità le compete.
Mi vergogno di vivere in questo paese.
Vergognatevi, siete voi che avete ridotto così questo paese.
Amerò sempre questo paese qualunque cosa succeda.
Se ci mettiamo d'accordo Pilar sarà sua nei modi che vorrà.
Se ci mettiamo d'accordo sarò suo nei modi che vorrà.
Ho sempre sognato un padre come lei.
Lei è stronzo esattamente come mio padre.
Papà!
Quand'ero giovane volevo fare il commissario.
Quand'ero giovane volevo fare Diabolik.
Questo è l'assegno, metta lei la cifra.
Credo che questo sia l'inizio di una bella amicizia.
È l'aratro che traccia il solco ma è la spada che lo difende.

Quest'ultima frase non era del repertorio di Ulisse, ma si poteva ancora leggere, sbiadita, sul frontone della questura, palazzo ove l'antica architettura vetero-ducesca si sposava a modernissime porte blindate, e telecamere qua e là nascoste. Chiese dell'Ufficio immigrazione. Una poliziotta niente male gli spiegò il tragitto. Giunse in una sala spoglia e fumosa. C'erano tre magrebini seduti, stanchi e annoiati. Uno telefonava uno dormiva uno piangeva. Un poliziotto biondo ritirò la sua convocazione, grugnì e disse che c'era da attendere.

Io cittadino italiano dovrei fare la fila con questa teppaglia? avrebbe potuto dire, se non fosse stato politropo e democratico. Invece pensò: loro sono abituati ad aspettare, io meno.

Uno dei magrebini parlava in magrebese al cellulare, a voce alta. L'altro gli chiese una sigaretta. Il terzo si mise a russare. Poi dall'ufficio uscì una specie di gigantessa nera truccata, di sesso trivalente, una Miss Piazzola dei Peccati, vestita come una cassetta natalizia. Lanciò un bacio al poliziotto biondo e disse: bello, se mi vuoi sai dove trovarmi. Bene, pensò Ulisse, mi piace questo clima di sano cameratismo. Un'altra porta si aprì e ne uscì un ragazzo slavo in manette, strattonato da due agenti. Piangeva e gridava. I tre magrebini non lo guardarono.

– La signorina Pilar? – chiamò il poliziotto biondo.

– Sono io – disse Ulisse.

I magrebini lo guardarono con un certo sospetto.

– Cioè, ho io la delega.

Entrò. La stanza era immersa in una nube di tabacco, sembrava che ci fosse appena stato un lancio di lacrimogeni. Al centro della nube c'era una scrivania e un uomo magro, con baffi, pizzetto ed elegante completo blu. Il commissario, evidentemente.

– Si accomodi.

Si accomodò.

– Signor Ulisse – disse il commissario accendendo una sigaretta – la delega non è valida in questi casi. È un errore del modulo. Ma già che è qui, parlerò con lei. Devo subito dirle che c'è qualcuno che non vi vuole bene.

– Ah sì?

– Qualcuno che si è preso la briga di far tirare fuori dagli archivi il dossier della sua amica, o fidanzata e di passarlo a noi. Qualcuno molto potente che ha scomodato nientemeno che un assessore, un generale dell'Arma e l'uomo più ricco della città. E lei sa come vanno le cose in questo paese, quando ci si mette contro certa gente.

– In un paese democratico e civile... – iniziò Ulisse, alzando un dito ammonitore.

– Cos'è questo paese lo so meglio di lei. Non sono come quei commissari di plastica della televisione tutti uguali per venti puntate, io ne ho viste di tutti i colori. Non saprò scriverne, ma le ho viste.

– Sa anche che scrivo?

– Ci è stata sollecitata un'indagine e l'abbiamo svolta. Vuole che gliela riassuma?

– Sarei curioso.

– Allora lei è un intellettuale politicamente orientato a sinistra. Un paio di piccole denunce, un po' di casino davanti a una fabbrica. Ma nel complesso lei è innocuo.

Adesso tiro fuori il mitra che ho in borsa e vedi, pensò Ulisse.

– Lavora per una casa editrice il cui proprietario ha avuto due condanne per assegni postdatati a vuoto.

– Ah – disse Ulisse.

– In quanto alla signorina Pilar, suo padre era un insegnante comunista e per questo ebbe gravi difficoltà nel suo paese.

– Gravi difficoltà? Lo hanno ammazzato!

– Questo non è precisato. La signorina emigrò in vari stati poi venne nel nostro sei anni fa, mi corregga se sbaglio. Visse per circa due anni in via dell'Oca 13, ove risiedeva anche lei. Insieme ai signori Nico Perimedes, Statis Eurilokos eccetera, chi se ne frega. Ecco qui veniamo al punto. Anni fa la signorina presenta a questa questura una domanda di soggiorno per motivi di studio con documento di iscrizione all'università che in seguito ad accertamento risulta contraffatto.

– Si è iscritta subito dopo.

– Signor Ulisse, se io le sparo e subito dopo la pistola si inceppa, lei muore lo stesso. Capisce il paragone?

– Capisco...

– Bravo. Il falso in attestazione consimile comporta, ai

sensi della nuova legge, comma tredici, la perdita del diritto di soggiornare in quanto il reato commesso potrebbe essere reiterato e quindi la signorina è da ritenersi potenzialmente pericolosa per l'ordine pubblico del nostro paese. Quindi potrebbe venire espulsa con provvedimento immediato.

– Potrebbe.

– Potrebbe. E se di mezzo c'è un certo signor Febo amico di tale cavalier Forco padrone della città, nonché di un generale dell'Arma, questo potrebbe diventa può, e la signorina Pilar se ne torna a casa.

– Ma quale pericolo per l'ordine pubblico! Pilar non ha mai fatto male a nessuno, né ha fatto politica.

– Ci risulta altrimenti. La signorina Pilar, proprio pochi giorni fa, si mette a fare la sindacalista e viene fotografata davanti a un grande magazzino mentre sobilla le maestranze.

Mostrò una foto.

– È questa vicino a quel rompicoglioni di Olivetti, vero? Complimenti, è una bella ragazza. Ma questo non è motivo sufficiente per cui potrebbe restare.

– E cosa potrebbe fare allora?

– Il modo ci sarebbe.

– E sarebbe?

– E sarebbe che è legato a quel potrebbe. Se qualcuno facesse qualcosa per cui quel potrebbe potrebbe diventare un non-potrebbe.

La bufera di condizionali stordì Ulisse per un attimo. Forse aveva capito. Ebbe la visione di Pilar, la dolce Pilar, in stivali da piratessa, sulla tangenziale notturna, adescando auto blu Maldive, e la pantera degli sbirri passava e commentava: vedi quella? batte per il commissario.

– Signor commissario – disse Ulisse cercando di essere chiaro – se è vero che per far diventare quel potrebbe un non-potrebbe si potrebbero fare delle cose, basta però che non siano cose che potrebbero essere peggio di quel potrebbe.

– Ma se quelle cose che potrebbero si facessero e le potesse fare lei, allora quel potrebbe della sua ragazza potrebbe diventare un non-potrebbe proprio in virtù delle cose che lei farebbe.

Ebbe la visione di Ulisse, il dolce Ulisse, in stivali da piratessa sulla tangenziale eccetera.

– Potrebbe essere più chiaro, commissario?

– Prima dovrebbe giurarmi una cosa. Potrebbe darsi che se lei non facesse, potrebbe poi ugualmente dire in giro che io le avrei chiesto che lei facesse, e questo potrebbe farmi incazzare moltissimo, perciò quello che potrei dirle ora dovrebbe restare tra noi.

– Questo dovrebbe essere chiaro a tutti.

– Allora parlerò chiaro.

– Sì.

– Una volta per tutte.

– Sì.

– Potrebbe essere che un commissario abbia un padre.

A Ulisse vennero in mente dodici battute e le censurò tutte, limitandosi ad annuire.

– Questo padre del commissario ha avuto una vita integerrima. Ha lavorato sodo giorno e notte per permettere al figlio di studiare all'università e diventare un giorno uno stimato commissario.

Sugli occhi del duro sbirro apparve una lacrima senza condizionali.

– Potrebbe poi accadere che il padre invecchiasse e fosse molto malato e con imminente scadenza del permesso di soggiorno tra i vivi (lacrima), e che il figlio si chiedesse: come potrei ricambiare tutto quello che lui ha fatto per me? (lacrima, fazzoletto). E il figlio potrebbe sapere che il padre ha un sogno. Tutta la vita il padre ha scritto un diario, in cui ha annotato eventi, voti, aneddoti e notazioni della sua integra vita di professore.

– Aspetti un momento, ma potrebbe... – disse Ulisse.

Non potrebbe. Poteva, anzi era. Per la prima volta guardò il nome del commissario, sulla targhetta in bella mostra sulla scrivania.

Il commissario era ereditariamente uno scrittodattilo!

– Per concludere – disse Colantuono junior – il figlio potrebbe sapere che una persona potrebbe fargli un favore che lui potrebbe ricambiare con favore analogo.

– Sarebbe a questo punto incredibile se il figlio non chiedesse quel favore.

– Bravo giovanotto. Ora, lei ha tra le mani il libro di mio padre. Ne ha mandato uno in ogni città di Italia. Caso vuole che io sappia che lo ha spedito proprio alla sua casa editrice. Sorpreso?

– No – disse Ulisse, ora o mai più – conosco benissimo quel manoscritto. *Memorie dalla cattedra*, cinquecento snelle pagine di grande interesse e di scrittura nitida e incisiva, proprio in questi giorni io personalmente mi sto battendo per la sua pubblicazione.

– Dice davvero? Allora potrebbe...

– Diciamo che nella redazione è in corso una discussione, noi vagliamo ogni libro con grande prudenza e rigore. Aggiungo però che il mio parere è assolutamente decisivo in quanto io sono direttore della collana romanzi over 50, e suo padre ha più di cinquant'anni.

Il commissario si soffiò il naso, visibilmente emozionato.

– Quindi *Memorie dalla cattedra* potrebbe essere pubblicato.

– E se potrebbe, cosa succederebbe?

– Potrebbe essere che un certo documento... un po' imperfetto sparisse perfettamente dal dossier della sua fidanzata e l'iscrizione all'università potrebbe venire retrodatata oppure il dossier potrebbe scomparire in qualche archivio o anzi, sa che le dico: potrebbe sparire del tutto, e buonanotte ai suonatori e ai generali.

– E così sarà – disse Ulisse.

– Allora lei promette?

– Non prometto, giuro. Entro ventiquattro ore suo padre avrà il contratto di pubblicazione. Anzi lo porto io personalmente a lei.

– E io le consegno il dossier, e lei ci fa quello che vuole.

Credo che questo potrebbe essere l'inizio di una bella amicizia, stava per dire Ulisse ma si limitò a mentire:

– Lei mi ha ridato fiducia nella legge.

– E lei nell'editoria. Centottanta risposte negative, povero babbo, centottanta. Quel libro, non sarà Stephen King, ma è scritto bene, mio padre era un professore, l'italiano me lo ha insegnato lui con le sue mani.

– Ora giustizia è fatta. Sarà edito...

– Qua la mano giovanotto – disse il commissario Colantuono. – Lei oggi fa felice due persone me e mio padre. Anzi quattro lei, la sua fidanzata, me e mio padre. Anzi cinque, la povera mamma, da lassù. Anzi, sette, i suoi due genitori panettieri, che come il mio si sono sacrificati...

– Grazie grazie – disse Ulisse, sperando che finissero i titoli di coda.

– È stato un piacere conoscerla. Lei entrando qui sarà stato prevenuto e si sarà preparato tutte le frasi da dire, avrà pensato, adesso cerco di fregarlo quello stronzo di commissario. E invece vede, noi poliziotti abbiamo un cuore e una cultura. E le dirò un'altra cosa, ma questo è davvero un segreto.

– Mi dica.

Il commissario gli accostò la bocca all'orecchio e parlò sottovoce, anche se nella stanza non c'era nessuno.

– Io non l'ho votato.

– Non ha votato chi?

– Il piccoletto, non l'ho votato.

– E chi ha votato?

– Questo non glielo dico, potrebbe finire sul giornale, voi giornalisti di sinistra siete figli di puttana. Ma adesso vada da quel bel tocco di figliola e non le dica niente del nostro patto tra uomini, le dica solo che c'è stato un equivoco e che è tutto a posto. E se la scopi.

E con una manata sulle spalle sottolineò questo sano consiglio di vita.

Il canguro Ulisse uscì balzellando dalla questura. Telefonò a Pilar ma lei aveva il cellulare spento. Salutò con cordialità poliziotti, finanzieri e persino uno della Stradale.

– Grazie professor Virgilio – disse.

– Faccia in fretta però – disse Colantuono senior sporgendo dalla tasca – sto morendo davvero.

– Poteva dirmelo subito che aveva un figlio così simpatico.

– Sì, l'ho tirato su bene. Allora mi pubblicherete? Posso festeggiare?

– Nella mia tasca?

– Pensavo di invitare la signora di *Diario orale*. Ci stappiamo una mignonnette di Vov e poi...

– Non voglio i particolari – disse Ulisse – ma ci vada piano, non vorremmo pubblicarla postumo.

Tornò a casa a piedi, eccitato. Cominciava a fare buio. Pensava a come convincere Valerio a pubblicare Colantuono. Ma sapeva che alla fine l'avrebbe spuntata. A costo di mollare sulla Grafocredit. Tutto, per la mia Pilar. Arrivò a casa, bevve una birra a collo e mangiò una mozzarella a sgrugnate. Si accorse che non aveva pensato ad Achille. Quella notizia avrebbe fatto piacere anche a lui, un po' di sollievo in un giorno difficile. Siamo di nuovo in tre, Achille. Pensò di mandargli un messaggio, aprì la posta ma Achille lo aveva preceduto, scrivendogli qualcosa. Lo immaginò nella stanza, la testa reclina, la bocca aperta nell'impegno di battere, svelto e preciso con le belle mani sulla tastiera scudata, ritto sulla Xantomobile. E la luce si spense. Un nuovo black out. Il computer continuò a funzionare con la pila. Ma il tempo di Achille era tornato ad avvolgerlo. Era al buio, e ora aveva di fronte solo le sue parole.

CAPITOLO VENTITRÉ

Da: musomania@liber.it
A: lellulisse@liber.it

Non lodarmi la morte splendido Odisseo
Vorrei essere bifolco e servire un padrone
Un diseredato senza alcuna ricchezza
Piuttosto che regnare su un mondo di tristi ombre.

– Che posto strano – disse Lello – non sembra neanche un aeroporto.

– E cosa sembra? – chiese Pilar.

– Una stazione spaziale... o una gigantesca clinica, altro che check-in, qui ti fanno il check-up. E poi nessuno che parte, o che arriva.

Pilar pensò che Lello aveva ragione. Dalle poltroncine gemelle ove erano seduti vedevano la prospettiva di un interminabile bianco tunnel, una sala dopo l'altra. Da una parte le porte girevoli d'accesso, dall'altra i cancelli numerati delle partenze. Un deserto sotto una luna di neon. I negozi avevano le serrande abbassate, ai banchi di imbarco non c'erano viaggiatori, né addetti. I monitor appesi al soffitto brillavano di un blu intenso, come fiori robotici. Era sparita anche la signorina dal volto pallido che aveva controllato il biglietto di Pilar assegnandole il posto sull'aereo. Le aveva comunicato che, per uno spiacevole inconveniente, avrebbe dovuto portare la valigia con sé. Infatti i nastri dei bagagli erano fermi, e il tabellone arrivi e partenze era spento. Tutto era silenzioso, da qualche altoparlante lontano usciva un filo di musica non identificabile.

– Forse c'è stato qualche sciopero improvviso e non puoi partire – disse speranzoso Lello.

– Ho già la carta d'imbarco. E se guardi bene, laggiù al cancello tredici c'è qualcuno.

– Sì, lo vedo, tutto bianco, come questo edificio allucinante. Secondo me è un fantasma.

– I fantasmi non viaggiano in aereo – sospirò Pilar – e soprattutto non hanno bisogno di permessi di soggiorno e passaporti.

– Pilar ti prego... so che avevo promesso di non parlarne più. Ma è assurdo che tu parta. La questione del tuo permesso sta per risolversi.

– Per quanto? Un mese, un anno. Poi questo paese mi scaccerà. Il tuo paese che ha venduto la sua varietà, la sua meravigliosa bastardaggine, il suo sangue di mille colori, in cambio del privilegio di sedere coi più forti, che forti non sono, sono soltanto più armati e disperati. Un paese che ha tutto, meno il pane della dignità e il vino della speranza. Un paese di governanti che odiano chi è debole eppure è più vivo di loro, chi non ha potere eppure ha più futuro di loro. Di miserabili che non vogliono essere giudicati, ma sono già nell'inferno della storia. Non voglio più vivere qui.

– Questo paese guarirà.

– Lo spero per te. Ma io appartengo a un'altra terra... Qui sapete camminare a occhi chiusi, dimenticherete questi anni, come ne avete già dimenticati altri. Ma nel mio mondo, il dolore ci ha tagliato le palpebre, ci tiene gli occhi spalancati. Viviamo la gioia anche se sappiamo che prima o poi ci verrà tolta. Io ballo ogni musica, anche la più triste. Non voglio aspettare il giorno in cui mi passerai vicino e non mi vedrai.

– E io non vorrei vedere oggi – sospirò Lello – questo maledetto giorno che ci separa.

Fu interrotto da una voce metallica che non sembrava venire dagli altoparlanti, ma da fuori, forse dalla pista.

I passeggeri dell'unico volo rimasto sono pregati di recarsi
al cancello tredici per le operazioni di imbarco.

– L'unico volo rimasto? – disse Lello. – Ma che razza di annuncio!

– Beh comunque è il mio volo.

– Pilar non partire. Cosa posso fare per convincerti? Qualsiasi cosa. Non sarò più poligamo. Entrerò in politica, diventerò re, cambierò le leggi. Riempirò questo paese di tribù africane, eschimesi ridenti, sosia di Totò, anatre parlanti...

– Intanto spingi il carrello con la valigia.

Si incamminarono, Pilar di buon passo, e Lello al fianco, col carrello pesante e cigolante. Il cancello tredici era lontano.

– Adesso che stai per partire vorrei dirti tante cose – disse Lello – e mi vengono in mente le cose che non ho mai fatto. Avessi un computer magico che collega cervello, cuore e mani, scriverei un libro in un minuto, migliaia di pagine con disegni e foto di te. Perché solo ora?

– Perché il tempo è poco, ed è trasparente. Stai camminando a occhi aperti. Vedi la terra come un grande aeroporto, sospeso nello spazio, pieno di gente che arriva e parte. Non c'è niente scritto sul biglietto, perciò ognuno può immaginare il suo volo. Qualcuno crede che questo aeroporto sia uno scalo, ma non per questo si affretta all'imbarco. Qualcuno pensa che il suo volo sia l'ultimo, eppure ha riempito valigie, cataste di valigie, c'ha messo anche roba rubata agli altri, destinata agli altri, anche il troppo e l'inutile. Qualcuno prega per uno sciopero, qualcun altro mette bombe negli aerei e così arriva prima.

– Ma come parli? – rise Ulisse.

Penelope gli camminava davanti. La sua snella figura si deformò, riflessa in una vetrata.

– Abbiamo aspettato questa partenza insieme, è stato un lungo felice ritardo. Sei un uomo come tanti, politropo Ulisse. Non puoi sfuggire alle tue bugie, alla tua pochezza, alla tua indifferenza. Non ti accorgi quando qualcuno sta per partire, e dimentichi in fretta chi è partito. Troppo traffico, troppe facce. Ma non sentire solo colpa e rabbia. Ricomincia. Forse un giorno imparerai l'arte del viaggiatore.

Erano ormai al cancello otto. Lello voleva dire qualcosa. Ma da un finestrone entrò improvviso un sole accecante, che si rifletteva sul bianco del pavimento e traboccava in ogni direzione. Lello non distingueva più nulla, spingeva davanti il carrello sempre più pesante.

– Non vedo niente – disse.

– Vedo io per te – disse la voce di Pilar, stranamente roca e profonda.

Non importa vedere. Non è vero quel discorso. Non salisti su quelle navi, Elena, non vedesti le torri di Troia. Dieci anni di guerra e morti, e anche la mia morte, per un idolo, un fantasma, Elena non arrivò mai. E così si combattono guerre per amore e si compiono imprese memorabili guidati dai sogni e dai libri che li contengono.

– Pilar, dove sei?

– *Davanti a te Ulisse, mi stai accompagnando... Come mi hai accompagnato in questi ultimi giorni.*

– Non sei Pilar.

– *Sai chi sono. Promettimi che sarai felice. Che ti farai sorprendere dall'allegria. Non dire che parlo di cose che non conosco. Nel mio buio ogni libro mi fece sperare, dalla mia finestra immaginai felice ogni quotidiana, umile conversazione. Anch'io ho conosciuto gioia e allegria, meno di quanto volevo e di quanto avevo bisogno. Ma questa è malattia di tutti. Promettimi che mi dimenticherai qualche volta. Prometti di non dimenticarmi.*

– Chi sei?

– *Un diseredato senza ricchezza. Un bifolco, con uno spietato padrone. Ma non sarò un'ombra che si spegne. Sono stato vivo fino alla fine. Ama il tuo respiro, Ulisse.*

La luce accecante si diradò, e Ulisse si accorse che la voce veniva dal carrello che stava spingendo, e il carrello era il glorioso alato Xanto. E sopra c'era una grossa testa inclinata, una figura con le mani in grembo, una vecchia vestaglia rossa, e i piedi nudi. Pesava così poco.

– *Ora vado. Grazie di tutto...*

Xanto senza rumore valicò il cancello.

– Aspetta.

– *Sono già oltre la porta* – disse Achille, voltandosi – *pubblica il libro a tuo nome. Quale nome? Hai un nome a cui rispondi, il nome con cui ti chiamano gli uomini. Ma qual è il nome del tuo mistero, il nome a cui rispondono i tuoi ricordi, le tue paure, la tua ispirazione? Credi che ci sia una parola che può descrivere tutto questo? Non c'è: se ci fosse, sarebbe il tuo nome nel buio. Il tuo vero nome. Quanti libri meravigliosi sono nascosti nel silenzio di chi vive immobile, muto, cieco. Avresti detto che dietro una brutta copertina, in una testa così mal costruita ci fosse l'ordine e il disordine di una storia? Parto vivo e vittorioso, Odisseo. Non ci accorgiamo mai che c'è una pagina nel libro che non riusciamo a capire, la più bianca, la più inutile, e invece è quella per cui tutto è stato scritto. Perché non riusciamo a vederla? È una domanda che ti pongo, e che ti farà pensare a me per qualche tempo, finché non avrai la risposta. Ma dopo dimenticami, e vivi. E ora basta parlare. Parlerà il mio libro, il mio figlio pieno di gloria.*

Ulisse lesse le ultime parole. Con fretta e paura, telefonò a casa di Achille. Era occupato. Riprovò tre volte. Allora chiamò un taxi, scese in strada. Sul taxi continuava a telefonare invano. Scese davanti al palazzo. Tutto sembrava normale. Ma entrando nel cortile vide la finestra della camera di Achille spalancata. Quella da cui Achille aveva visto Pilar. Come lo avesse sentito la madre apparve tra le vecchie tende. Gli fece segno di aspettare.

Fu con lui, nel cortile. Lo abbracciò con pudore e lui ricambiò con ancor maggior leggerezza. Non si deve rompere una conchiglia.

– Achille è morto stamattina. Non ha sofferto. Una crisi più forte, forse nel sonno.

Parlò in fretta e non lo guardò negli occhi.

– Mi dice la verità?
– Vuole la verità? Quale le piacerebbe di più? Sì, c'erano delle fiale di un farmaco pericoloso, nascoste nella libreria della sua stanza, e sono sparite. Potrebbe averle prese, spezzate e ingerite, ma non lo credo, o non voglio crederlo. Oppure l'ho ucciso io, perché me lo ha chiesto. Oppure è stato lei, Ulisse, a lasciare una fiala sulla scrivania. Questo non cambia la verità ultima. La verità è che Achille non voleva entrare in quella clinica e non ci è entrato, e questa settimana è stata una delle più belle della sua vita. Il libro lo ha scritto lui, lo so. Ma vuole che lo firmi lei. Rispetti il suo desiderio.

Improvvisamente la voce le si spezzò. Il volto dolce divenne di pietra, come una furia si avventò su qualcuno che usciva dal cortile.

– No – gridò – aspettate, che fretta avete.

Aiace e un altro uomo vestito di nero stavano caricando Xanto su un furgone.

– Ce lo ha detto il dottor Febo.

La madre fece a Ulisse un rapido cenno di saluto e corse su per lo scalone. Ulisse guardò Xanto, lo toccò. Sulla fodera del sedile c'era sangue nero, raggrumato. Macchie e strappi. Ma restava uno splendido sauro dalle ruote piroettanti, il destriero bastardo, metà Xanto, metà Pegaso alato.

Buon viaggio anche a te.

CAPITOLO VENTIQUATTRO

Ulisse prese un coda-di-gallo di valeriana tavor e birra, e restò tutto il giorno a letto, leggendo il libro di Achille e ascoltando musica. Pilar gli era al fianco, senza parlare, cucinava per sé, studiava, metteva a posto gli scrittodattili sulla scrivania.

– Lei è la nuova redattrice? – disse Petrotto tripla x, apparendo con fare seduttivo.

– Non farti fregare bimba – disse la scrittrice di *Diario orale*.

– Non sono la nuova redattrice – rispose Pilar – sono un'amica di Ulisse. Lui sta male, è morto un suo amico.

– Lo so – disse il poeta culturista – è l'autore di quel nuovo scrittodattilo che lui tiene sempre vicino. Il suo preferito.

– Su, non siate gelosi – disse Pilar.

– Ci sei anche tu in quello scrittodattilo? – chiese Petrotto tripla x.

– Credo di sì...

– Allora usciamo stasera? Mi infili nella tua borsa peruviana? Sono disposto anche a stare vicino a Márquez...

– Con chi parli? – disse Ulisse, destato dal brusio.

– Da sola, come fai sempre tu – disse Pilar. – Perché non usciamo? Non serve rimanere a letto. Lo hai promesso ad Achille. Devi vivere come prima.

– Non sono come prima. Lasciami qui ancora per un po'. Però ti prego, porta lo scrittodattilo di Achille a Vulcano, con questo biglietto.

Valerio, fammi un grande favore, se ti è cara la nostra ami-
cizia e se non vuoi che io ti denunci per l'assegno a vuoto (lo
sai che la terza volta si va in galera?). Devi leggere questo testo
in fretta, più che in fretta. È un libro strano e geniale. Diciamo
che l'ho scritto io, poi ti spiegherò. Ci vediamo lunedì mattina.
Lello.

La notte Ulisse si svegliò, sentì odore di pane caldo. Uscì.
Tutta la strada era piena di quell'odore meraviglioso. Camminò fino al forno di pietra, in mezzo alla neve. Si ricordò
che, ogni volta che il padre infornava, Ulisse impastava una
piccola pagnotta, e incideva l'iniziale del suo nome per di-
stinguerla. La pagnotta era lì, davanti al chiusino del forno,
piccolo portale di chiesa. Ma non ricordava il suo nome.
      Qual è il tuo nome nel buio, Ulisse?
      Sentì voci che lo chiamavano, e ognuna sembrava pro-
nunciare un nome diverso. Si svegliò, con una matita in mano, il libro di Achille sulle ginocchia. Uscì davvero in strada,
ripetendo i passi del sogno. Nessun odore di pane o forno di
pietra. Solo il vento, e la neve che cadeva con piccoli tonfi dagli alberi.

Tutta domenica restò in casa. Da una radio le notizie gli
vorticavano intorno, insieme al rumore di una bufera di vento che infuriava sulla città. Grandi tristi notizie: l'Impero aveva bombardato per un errore un forno, con la gente in fila per
il pane. Piccole grandi notizie: Mironi era tornato in campo
e aveva segnato il gol decisivo nel derby. Incidenti tra gli ul-
trà. Magari, pensò Ulisse, anche una bastonata in testa a Febo, lassù nella tribuna Vipere. Ulisse vagò nella casa, tra lo
sbattere delle persiane, guardando volare carte e foglie in strada. Bevve tre birre a collo, mangiò una crosta di formaggio,
pisciò nel lavandino. Poi aprì la posta del computer, sperando che ci fosse ancora qualche parola di Achille, qualcosa rimasto bloccato nel server, o un suo messaggio interstellare.
Ma il pelago portava soltanto le folgori di Zeus: la bufera di

vento e pioggia flagellava il Nord, frane alluvioni e morti. Un colossale scandalo stava esplodendo. Legami tra i picciotti della Mafia e quelli del Duce, comitati di affari, truffe. L'avvocato capo Princisbeo, ormai indifendibile, era scappato alle Bahamas col suo aereo privato. Quello del Duce scaldava i motori. I disoccupati bloccavano treni, traghetti, dragobruchi e alianti. Il paese cadeva a pezzi e i pezzi si abbattevano sulla testa di innocenti e colpevoli. La resa dei conti. Così disse Atena.

La mattina dopo si svegliò presto. Voleva andare in ufficio, ma sbagliò strada, o volle sbagliarla. Si trovò all'improvviso davanti al palazzo di Achille. Davanti al Crepa c'era una manifestazione di bancari. Il Credito Patrio era uno dei principali imputati per riciclaggio di danaro mafioso, e correvano voci di bancarotta.

Vide in mezzo ai bancari incazzati l'inconfondibile sagoma di Olivetti e Stanzani, col consueto volantino.

Gli operai della Sipel minacciati di licenziamento solidali coi lavoratori della banca minacciati di licenziamento.

Stavolta non erano da soli, c'era un bel gruppo di felpe blu con loro.

– Dottor Ulisse – disse Olivetti. – Abbiamo bisogno del suo aiuto politico.

– Prego – disse Ulisse, lusingato.

– Mi dice quel rompiballe di Stanzani che ripetere due volte "minacciati di licenziamento" fa brutta impressione. Potrebbe riscrivere il volantino?

– Vediamo – disse Ulisse.

Ci pensò un po' su e scrisse:

Gli operai della Sipel minacciati di licenziamento solidali coi lavoratori della banca minacciati da destino analogo.

Olivetti lesse e sospirò.

– Dottor Ulisse, se io vado in consiglio di fabbrica e dico ai colleghi operai che hanno un destino analogo mi rullano sotto una pressa. Scriva qualcosa di più semplice.

Gli operai della Sipel e i lavoratori della banca uniti nella lotta contro i licenziamenti.

– Bravo il mio fornaio intellettuale – disse Olivetti e con una pacca lo proiettò a tre metri.

Ulisse entrò nel cortile. Un camion stava caricando libri e mobili. Febo aveva una gran fretta di vendere. Ma forse aveva fatto male i suoi calcoli. Sembrava che la banca avesse altri problemi. Due o tre signori con l'aria di dirigenti uscirono da una porticina secondaria, nascosta dietro il Laocoonte, e invece che sull'auto blu Maldive salirono su una panda color diarrea. Ulisse credette di riconoscere Forco, col bavero del cappotto alzato, come un ladro. Pensò di urlare: sono qui, scappano. Non lo fece. Il Fato filava anche per loro.

Entrò in ufficio. C'era un'agitazione insolita. Un vassoio di costosissimi cappuccini fumava sulla scrivania... Era tornata Circe ricciolibelli e c'erano anche un giovane allampanato e una cerbiatta dark.
– Che fai qui, Circe?
– Valerio mi ha detto di tornare. Grandi novità.
Vulcano eruppe dal suo ufficio e stritolò Ulisse in un abbraccio. Era così eccitato che sbatteva in ogni mobile, come un cane con la coda. Eliminò il cappuccino con un unico sorso.
– Ulisse, hai scritto un libro fantastico. Non sembra neanche roba tua, vecchio bastardo! Lo sapevo che stavi lavorando, facevi il misterioso, non mi dicevi dove andavi e invece ti chiudevi a scrivere, furbone. È un libro magico, non lo dico solo io... Siediti Ulisse perché devo darti una grande notizia. Ho letto il libro sabato notte, tutto d'un fiato. Domenica mattina sapevo che c'era il direttore della Rossomio alla presentazione del premio Centerbe. Gli ho portato il tuo libro, lo

ha letto in treno, mi ha svegliato a mezzanotte. Lo vogliono a tutti i costi. Faremo un link, noi gli cediamo il libro, e mettiamo nel pacchetto anche *Over 100* e il tuo graffitaro. In cambio loro ce li pubblicano e io divento direttore di collana.

– Insomma, comprano la nostra casa editrice.

– Esatto. Ulisse, non è meraviglioso?

– Beh... sì, non posso darti torto, è un buon editore. Ma pongo una condizione.

– E cioè?

– Niente *Over 100*. Meglio *Memorie dalla cattedra* di Virgilio Colantuono...

– Ma è una pizza di seicento pagine!

– O lo pubblichi o non ti do il mio libro. Inoltre, sai cosa succede la terza volta che un assegno postdatato...

– *Memorie dalla cattedra* è un libro difficile da vendere – lo interruppe Vulcano – ma adesso che siamo collegati a una grande casa editrice non dobbiamo dimenticare la sfida della qualità. Oseremo! Ti presento il nuovo staff. Calicanti, esperto di marketing e Cassandra, ufficio stampa.

– Li hai assunti?

– Sono dei part-time della Rossomio in full-time presso di noi, a rafforzare la squadra... Allora Calicanti, cosa ne dice della proposta di Ulisse?

– Beh, anzitutto il libro del dottor Ulisse è centrale nel nostro piano di restyling della Forge. Si può fare un buon editing al libro di Colantuono, duecento pagine in meno per ritmarlo, e potrebbe diventare un outsider-bestseller, si potrebbe piazzare in televisione come serial, magari aggiungere un touch giallo-polar, tipo inventarci un personaggio come un figlio commissario, sì, per me è okay.

– E tu Cassie che ne pensi?

– È vivo l'autore?

– Oh pochi scherzi, eh... – disse Colantuono balzando fuori della tasca a corna spiegate.

– Il professore sta bene e vive in un piccolo paese del Sud dimenticato da tutti, anche dalla mafia.

– Troveremo una bella frase per il lancio. Qualcosa che

faccia pensare al professore come a un solitario malinconico guerriero delle idee – disse la cerbiatta – tipo: *In cattedra come in trincea*, oppure *Omero blues*.

Ulisse guardò Cassandra e la sua stremata poligamia rialzò per un istante la testa: era vispa la ragazza.

– Ci vuole un titolo per il tuo libro, però – disse Vulcano – il titolo è importante. *Medèn* non mi piace.

– Non è il titolo, è il nome di una medicina. Ha usato... cioè ho usato come carpetta il dépliant di una medicina.

– Beh, preparati a una nuova avventura, Odisseo. Stasera ceniamo col proprietario della Rossomio, discuteremo di percentuali e anticipo, sarò al tuo fianco. Poi Cassie, domattina, ci ha già procurato un'intervista col supplemento libri di "Vivalibri", cominciamo a preparare il terreno.

– Ma il libro non è ancora pubblicato.

– Il successo si prepara quando ancora niente è successo – disse Vulcano – giusto, Cassie? Parleremo delle nuove mode letterarie. Il tuo romanzo epico-moderno senza titolo perché nessun titolo riesce a descriverlo. Il graffitismo come ultima frontiera della comunicazione giovanile. E il Gattopardo di Calatafimi, l'integro professore che ha concepito nella sua solitudine profumata di arance un inatteso capolavoro.

– Non è un po' troppo?

– Al lavoro, al lavoro ragazzi – disse Vulcano – l'avevo detto io, non finiremo mai nelle mani di quella fottuta Grafocredit. Hanno dei bei cazzi adesso i tuoi amici della Mondial, con tutti questi scandali e Princisbeo che scappa...

– Miei amici? Erano tuoi amici...

– Circe, vieni nel mio ufficio. Ho un sacco di lettere da dettarti – disse Vulcano. Era raddoppiato di volume e tronfio come un dindo.

– E l'assegno, Valerio?

– Con l'anticipo favoloso che stiamo per prendere, pensi ancora a quell'assegnuccio?

– È vero sono un miserabile – disse Ulisse. – Prepara il contratto per Colantuono e dimenticherò tutto.

– Circe, prepara un contratto per il nostro autore professore. Calicanti, facciamo uno storyboard degli impegni. Cassie fuori un'idea per il logo. E tu, Ulisse, trova il titolo entro stasera, Rossomio lo vuole...

Sparirono tutti dentro l'ufficio di Vulcano. A Ulisse girava la testa. Tanti giorni oscuri e paure, lotte, e dolori, e adesso tutto andava per il verso giusto. Le Parche filavano oro e miele. Non era quello che presentiva Achille? Non aveva parlato di giorni in cui Ulisse avrebbe potuto essere felice, e dimenticare? No, era troppo presto. Prese dal cassetto della scrivania di Vulcano il libro dell'amico. Doveva trovare un titolo. Ma come dare un titolo a qualcosa che non è tuo, anche se lo hai visto nascere? Non posso firmare questo libro. Dirò la verità, che l'ha scritto lui. Certo, potrebbe crearsi un caso, il compassionevole caso dello scrittore immobile e malato. Achille non vorrebbe questa pietà. Ma non ha forse scritto per durare, per essere ricordato? Per cosa altro? No, il libro è suo.

Rilesse la fine, quelle parole che lo turbavano.

Parto vivo e vittorioso, Odisseo. Non ci accorgiamo mai che c'è una pagina nel libro che non riusciamo a capire, la più bianca, la più inutile, e invece è quella per cui tutto è stato scritto. Perché non riusciamo a vederla? È una domanda che ti pongo, e che ti farà pensare a me per qualche tempo, finché non avrai la risposta.

C'era qualcosa in quelle parole, che non aveva capito? Sfogliò il libro. Le pagine erano tutte stampate in gotico vampirico, nessuna gli sembrava diversa dalle altre. Forse Achille voleva ammonirlo ad amare ogni pagina, oppure incitarlo a scrivere ancora. Stava per rimettere il libro nel cassetto quando notò la pagina bianca all'inizio. Lì avrebbe dovuto esserci il titolo, invece nulla. Perché quella pagina inutile? *La più bianca, la più inutile.* Guardò bene. E vide, in fondo al foglio, alcuni segni impercettibili che aveva scambiato per baffi di inchiostro, per quelle tracce che talvolta la stampante lascia sulla carta. Ma non era inchiostro, era matita: si leggeva chiaramente, scritta a mano, con caratteri larghi e sghembi una firma.

Achille.

Con fatica, con chissà quale lenta e trionfante fatica, c'era riuscito. Aveva scritto il suo nome con le sue mani. Il suo unico nome, che indicava il suo corpo e la sua storia. Con la spada di una piccola matita. Vittorioso, alla fine. Ecco perché tutto è stato scritto, Ulisse.

Entrò Pilar, lo abbracciò. Mio hidalgo lo chiamò, e gli si sedette sulle ginocchia in un lungo appassionato bacio. Capì che Ulisse voleva restare solo, uscì in silenzio. Ulisse sentì insieme, nella stessa pagina, nello stesso battito di cuore, la traccia recente della sua presenza, e il vuoto scavato dalla sua possibile, irrimediabile perdita.

Pilar, Carmencita, Dolores, dove siete?

Spense la luce, gli bastava quella fioca della sera. Ecco, Achille, la tua maledizione. Ora io attraverserò giorni unici, forse finiranno presto, ma io li vivrò, sospeso nell'aeroporto del mondo. Hai previsto anche questo. Pilar sulle mie ginocchia. Circe e Cassandra a tentare la mia ridicola e romantica poligamia. La mia vanità pronta a diventare avida e inesauribile. Soldi, dracme, sesterzi, e collane di conchiglie per me. Gioia, meno di quanto vorrei e di quanto avrei bisogno. E dentro questa gioia, ogni volta, ostacoli e battaglie e solitudine, pagine stracciate e buttate via. Ma ora la gioia è qui, tu l'hai procurata perché io potessi viverla e dimenticarti. Vuoi vedere se ho capito la lezione, Achille? Se ho imparato a camminare a occhi aperti, se rispetterò sempre il silenzio immobile dietro cui nascono libri meravigliosi, che nessuno scoprirà mai?

Non so cosa dirti, Achille. Sì, il libro è mio, e io ti dimenticherò. E un giorno mi tornerai in mente. E questo diventerà altri libri.

Ulisse guardò fuori. Il vento continuava a soffiare, strappava foglie agli alberi, sventrava ombrelli e portava la pioggia dentro androni e cortili, inseguendo chi cercava riparo. Davanti al palazzo della casa editrice, incurante della bufera, c'era una decina di persone con cartelli. Era una manifestazione di giovani narratori obesi esclusi dalla pubblicazione. Olivetti distribuiva volantini con brani di Balzac e Dürrenmatt. La neve si infittì, Ulisse ripensò al cortile del Laocoonte. Alla terrazza con gli alberi, alla danza dei merli, alla pioggia sui capelli di Achille. Alla sua stanza vuota, ai suoi libri, tristi senza quella mano storta che non li avrebbe più aperti. Al suo amico senza peso, così leggero da tenere in braccio, così adatto al volo. A quanta gioia era mancata a lui, a quelli come lui, a noi tutti ugualmente. Al suo figlio glorioso.

Il mondo fuori dalla finestra gli apparve sospeso nello spazio, piccola isola scomparsa da ogni mappa, col nome inghiottito dal buio. La gente camminava in fretta, a occhi chiusi, su ponti instabili e nebbiosi, sui marciapiedi gelati, nel lamento dei clacson che saliva al cielo avvelenato. Tutto gli sembrò difficile, disperato, doloroso. Era ancora viaggio, ancora guerra. Ama il tuo respiro. Con la spada di una matita. Chiuse gli occhi.

– Ulisse – disse la voce di Pilar – ha suonato parecchie volte il tuo telefonino, ho risposto io. È la madre di Achille.

– Dille che non ci sono – rispose Ulisse – dille che le telefono più tardi.

Remo Bodei, *La filosofia nel Novecento* (e oltre). Nuova edizione

Gaetano Salvemini, *Le origini del fascismo in Italia*. Lezioni di Harvard

Mimmo Franzinelli, *Il Giro d'Italia*. Dai pionieri agli anni d'oro. Postfazione di M. Torriani

Vandana Shiva, *Il mondo del cibo sotto brevetto*. Controllare le sementi per governare i popoli

Gaia Servadio, *Gioachino Rossini*. Una vita

Osho, *Segreti e misteri dell'eros*

Romano De Marco, *Io la troverò*. La serie Nero a Milano

Daniel Kehlmann, *È tutta una finzione*

Gianni Testori, *Il Fabbricone*

Nicolas Barreau, *La ricetta del vero amore*

Simonetta Agnello Hornby, *Via XX Settembre*

Stefano Benni, *Pantera*. Con le illustrazioni di L. Ralli

Giuseppe Catozzella, *Non dirmi che hai paura*

Amos Oz, *Contro il fanatismo*

Giorgio Bocca, *Le mie montagne*. Gli anni della neve e del fuoco

Neil Young, *Il sogno di un hippie*

Agnese Borsellino, Salvo Palazzolo, *Ti racconterò tutte le storie che potrò*

José Saramago, *L'ultimo Quaderno*

Jonathan Coe, *Expo 58*

Erri De Luca, *Storia di Irene*

Claudia Gamberale, *Per dieci minuti*

Domenico Barrilà, *I legami che ci aiutano a vivere*. L'energia che cambia la nostra vita e il mondo

John Foot, *Milano dopo il miracolo*. Biografia di una città. Con una nuova prefazione dell'Autore

Réné Girard, Gianni Vattimo, *Verità o fede debole?* Dialogo su cristianesimo e relativismo

Francesco Dell'Oro, *Cercasi scuola disperatamente*. Orientamento scolastico e dintorni

Osho, *Pioggia a ciel sereno*. La via femminile all'illuminazione

Lars Bill Lundholm, *Il soffio del drago*. La serie Omicidi a Stoccolma

Howard Gardner, *Aprire le menti*. La creatività e i dilemmi dell'educazione

James J. Sadkovich, *La Marina italiana nella seconda guerra mondiale*

Donald Jay Grout, *Storia della musica in Occidente*

Tiziana Bertaccini, *Le Americhe Latine nel Ventesimo secolo*

Mayank Chhaya, *Dalai Lama. Uomo, monaco, mistico*. Biografia autorizzata

Christian Boukaram, *Il potere anticancro delle emozioni*. Da un medico oncologo, un nuovo sguardo sull'insorgenza e la cura della malattia

Giovanni Montanaro, *Tutti i colori del mondo*

Tim O'Brien, *Inseguendo Cacciato*

Simonetta Agnello Hornby, *Il veleno dell'oleandro*

Charles Bukowski, *Il Capitano è fuori a pranzo*. Nuova traduzione di S. Viciani. Illustrazioni di R. Crumb

Nora Ephron, *Il collo mi fa impazzire*. Tormenti e beatitudini dell'essere donna

Andrea Camilleri, *I racconti di Nené*. Raccolti da Francesco Anzalone e Giorgio Santelli

Daniel Barenboim, *La musica è un tutto*. Etica ed estetica

Doris Lessing, *Echi della tempesta*

Ivana Castoldi, *Riparto da me*. Trasformare il mal di vivere in una opportunità per sé

Flavio Caprera, *Dizionario del jazz italiano*

Giorgio Candeloro, *Storia dell'Italia moderna*. Volume nono. Il fascismo e le sue guerre. 1922-1939

Giorgio Candeloro, *Storia dell'Italia moderna*. Volume decimo. La seconda guerra mondiale. Il crollo del fascismo. La Resistenza. 1939-1945

Luciano Bianciardi, *L'integrazione*

Gianni Mura, *Ischia*

Pierre Grimal, *L'arte dei giardini*. Una breve storia. A cura di M. Magi. Presentazione di I. Pizzetti

Vanna Vannuccini, Francesca Predazzi, *Piccolo viaggio nell'anima tedesca*. Nuova edizione

Osho, *L'eterno contrasto*. A cura di Anand Videha

Raquel Martos, *I baci non sono mai troppi*

Giovanni Testori, *La Gilda del Mac Mahon*

Jean-François Lyotard, *La condizione postmoderna*. Rapporto sul sapere

Arnulf Zitelmann, *Non mi piegherete*. Vita di Martin Luther King

Ruggero Cappuccio, *Fuoco su Napoli*

Gianni Celati, *Recita dell'attore Vecchiatto*. Nuova edizione

Henry Miller, *Nexus*

Daniel Glattauer, *Per sempre tuo*

Louise Erdrich, *La casa tonda*

Amos Oz, *Tra amici*

José Saramago, *Oggetto quasi*. Racconti

Paolo Di Paolo, *Raccontami la notte in cui sono nato*. Con una nuova postfazione dell'autore

Michael Laitman, *La Cabbala rivelata*. Guida personale per una vita più serena. Introduzione di E. Laszlo

Patch Adams, *Salute!* Curare la sofferenza con l'allegria e con l'amore

Martino Gozzi, *Giovani promesse*

Alejandro Jodorowsky, *Il maestro e le maghe*

Benedetta Cibrario, *Lo Scurnuso*

Michele Serra, *Cerimonie*

Stefano Benni, *Di tutte le ricchezze*

Cristina Comencini, *Lucy*

Danny Wallace, *La ragazza di Charlotte Street*

Grazia Verasani, *Quo vadis, baby?*

Devapath, *La potenza del respiro*. Dieci meditazioni del metodo Osho Diamond Breath® per arricchire la tua vita

Donne si diventa. Antologia del pensiero femminista. A cura di E. Missana

Nicholas Shaxson, *Le isole del tesoro*. Viaggio nei paradisi fiscali dove è nascosto il tesoro della globalizzazione

Salvatore Niffoi, *Pantumas*

Lucien Febvre, *L'Europa*. Storia di una civiltà. Corso tenuto al Collège de France nell'anno accademico 1944-1945. A cura di Thérèse Charmasson e Brigitte Mazon. Presentazione dell'edizione italiana di C. Donzelli. Presentazione dell'edizione francese di M. Ferro

Kevin D. Mitnick, con la collaborazione di William L. Simon, *L'arte dell'hacking*. Consulenza scientifica di R. Chiesa